LENGUA AJENA

LENGUA AJENA

Julia Rendón Abrahamson

DE CONATUS

COLECCIÓN ¿QUÉ NOS CONTAMOS HOY?

El papel utilizado para la impresión de este libro ha sido fabricado a partir de madera procedente de bosques y plantaciones gestionadas con los más altos estándares ambientales, garantizando una explotación de los recursos sostenible con el medio ambiente y beneficiosa para las personas.

Título:
Lengua ajena

De esta edición:
© De Conatus Publicaciones S.L.
Casado del Alisal, 10
28014 Madrid
www.deconatus.com

Copyright © Julia Rendón Abrahamson
Parte de este libro fue escrito gracias a la beca de escritura Montserrat Roig 2021.

Primera edición: Junio 2022

Diseño de la colección: Álvaro Reyero Pita

ISBN: 978-84-17375-82-9
Depósito legal: M-13384-2022

Printed in Spain
Impresión: Artes Gráficas COFÁS, S.A.

La editorial agradece todos los comentarios y observaciones:
comunicacion.deconatus@deconatus.com

A Uma y Vera por darme un lugar de pertenencia
en el universo de la ternura y el amor.
Por ser reflejo, montaña, ciudad, cielo: lenguaje. La cima.

A la omi Edith y mi mamá porque no me contaron con palabras
lo que es ser desplazada a la fuerza. Me dieron la posibilidad
de crear lenguaje para relatar la propia existencia a mis hijas.

ÍNDICE

La profecía de que el verbo partir *es para siempre*
y que contiene el regreso.
Silvia Baron Supervielle, «El cambio de lengua para
un escritor»

Heimweh *se llama en alemán este dolor, es una bella palabra y*
quiere decir «dolor de hogar».
Primo Levi, «La trilogía de Auschwitz»

Ibas enrollando, haciendo un ovillo de esa cuerda que nosotros
habíamos extendido, para tú tornarla a su centro, hacia tu país,
de donde ella, la fibra —esa sí de acero— había partido. Eran dos
formas contrarias de halar; de allá para acá, de acá para allá. —¿Pero
qué tiene la tierra propia?, te pregunté. —Nada, pero algo tiene.
Lupe Rumazo, «Carta larga sin final»

1. PERRO DE PAVLOV

Adrià no quería tener a la beba, al *nadó,* en el departamento. Me decía que en Nueva York eso era ilegal, que no teníamos espacio, le preocupaba que algo nos llegara a pasar. Pero yo le convencí. Lo hice con documentos que probaban que se podía hacer si la partera estaba afiliada a un hospital, o si tenía el consentimiento de un doctor. Compré una de esas piscinas, esas *piscines* inflables, y la tuve lista, llena de agua, para que una noche que volviera del trabajo, de su *treball,* la viera ahí, encima de ese piso de madera que teníamos, al lado de nuestra cama *queen*, para que se diera cuenta de que sí entraba. Le leí algunos fragmentos del libro de Ina May Gaskin, el que contaba cómo se iban en su van por todo el país y las mujeres tenían a sus bebés ahí adentro, acompañadas, abrazadas, cantando y con flores. Son un montón de *hippies,* me dijo riéndose, y me pidió que buscara en el libro y le leyera una entrada de alguna vez que no les haya funcionado. Yo no quería leer nada sobre nacimientos que no fueron, tenía ya casi ocho meses. *Hippies*, le dije, como cuando viajaste con los chicos a Montañita y se quedaron en un hotel que olía a hierba, a hombre, a testosterona y a mierda. Me hubiese encantado conocerte ahí, me dijo, y me pasó un dedo por el labio superior, pero yo estaba incómoda con la panza y le contesté que yo nunca iba a Montañita.

Algo le convenció el enterarse de que nos cubriría el seguro, la obra social de su trabajo. En ese entonces ya trabajaba muchas horas, espacios de tiempo: de compras mías y caminatas, tés chai y cigarrillos, tirada en los céspedes que encontraba en medio del cemento, en esas plazas de Manhattan.

Yo la invité a la Kate, la *midwive*, a cenar una noche. Quería que Adrià la conociera, que viera que ya había ayudado en partos muchísimas otras veces, miles de bebés, de *nadós*, nacieron dentro de apartamentos diminutos, al lado de mesas o armarios de IKEA, junto a zapatos, posters del *subway*, afiches, refrigeradoras llenas de leche, de esos fideos que no son fideos porque no tienen gluten, al lado de los perros, de los gatos. La Kate no nos habló de eso aquella noche en nuestro departamento, nuestro piso de Queens, allá donde vivíamos, arriba del cucho de chivitos. Era mejor vendedora que yo. Nos aseguró que contrataría una ambulancia que nos esperara abajo durante toda la labor de parto, por cualquier cosa, dijo, aunque nunca me ha pasado «cualquier cosa», dijo, todos los bebés han nacido bien, hasta ahora los veo, dijo, y sacó unas fotos. Adrià tomaba vino y me sostenía la mano por debajo de la mesa y también le miraba las tetas porque había venido con una blusa de flores que era como envuelta por toda su piel y con un gran escote. La Kate las tiene grandotas, o las tenía, ha pasado tanto tiempo, parece que han pasado mil años.

Él miraba las fotos y miraba las tetas, qué le iba a interesar ver bebés, estaba caliente y tomaba vino y no me soltaba la mano y no decía mucho, pero sé que de algo funcionó que haya venido la Kate. Cuando se fue, Adrià ya un poco borracho, me dijo que no era tan mala idea, pero que mejor no dijéramos nada en su *treball*, que ya sabía cómo eran esos banqueros y peor con los recién llegados, y me pasó de nuevo un dedo por el labio superior, y entonces me di cuenta de que era mi oportunidad y se lo mordí suavecito para que no lo sacara y luego yo, con esa panza encima de sus costillas, sin poder moverme mucho y mientras, estoy segura, él pensaba en las tetas de la Kate, le pedía que dijera que sí, que sí íbamos a tener a la beba, al *nadó*, en la casa. Yo latosa, lactosa me movía y la panza se movía y la beba se acomodaba y me caían gotas de sudor por la cara, y estaba tan gorda, redundante, mis manos también húmedas, con grasa, y él me decía que sí, que sí, joder, que estaba tan caliente y que sí.

El día del parto salí temprano porque quería comprar unos narcisos. Quería recibirla con flores, era primavera. En el camino me comí un mango con sal, limón y chile, lo vendía la mexicana, la viejita que parecía *casera* del mercado. Comentó lo baja que tenía la panza y me dijo que en cualquier rato me iba a salir el bebé. Beba, le dije yo, y me empezó a hablar de la cuarentena, que no me olvidara de hacerla, es muy importante. Lo mejor para los cuarenta días con el bebé es comer sopa de pollo, eso dijo mientras yo me iba por los narcisos. Ya cuando subía las escaleras hacia el departamento, no me gusta tomar el ascensor hasta ahora, sentí mucho calor y una presión en la parte baja de la espalda. Eso lo he contado mil veces. También que apenas entré, le llamé a la Kate, dejé la puerta abierta, y puse los narcisos en el florero blanco pero quedó en la cocina, porque yo me fui a acostar y me quedé dormida. No sé si Adrià recuerda que me desperté con la Kate haciéndome un masaje en el pie, en el punto que supuestamente es el útero. Él ya estaba ahí, ella lo había llamado.

Vibraciones. Sirenas, gritos, pisadas, el aullido del *subway* frenando en Ditmars Boulevard. Línea N. Escupitajos, gente masticando, absorbiendo cafés, los cuchillos que untan *cream cheese* en esos *bagels* cíclopes y blancos. Las pisadas fuertes, zapatos presuntuosos que viajan a Manhattan, que van a lograrlo en la ciudad. Envoltorios de papel que son estrujados antes de caer en la basura, o en la vereda. Sonidos que dan piel de gallina a la mujer que está por parir. Que cierren la ventana mejor, porque se escucha todo. Yo me desnudo para meterme en la piscina que quedó en el costado de la cama, la Kate la estaba calentando porque Adrià ya la tenía llena hace una semana. Él me quería sostener y hablaba en catalán. Yo me soltaba para taparme los oídos y le gritaba que yo no hablo ese idioma, que no sea idiota. Adentro del agua todo cesa, cerré los ojos y pedí comida.

El agua olía a cloro porque ya había roto la bolsa y así huele ese líquido. Era muy fuerte y se iba mezclando con otros olores: sudor, perfumes baratos, zapatos neoyorquinos, o sea, migrantes. Telas que cubren caras de mujeres que vinieron desde lejos, casadas a la fuerza. Telas negras llenas de secreción. Uno no puede evitar secretar cuando te cubren la boca, como el perro de Pavlov, las babas circulando el mentón, la piel que se languidece. Escupitajos de nuevo, *bagels* blancos con *poppy seeds*, y las veredas de cemento que se van calentando con las pisadas, con el sol. Yo tenía hambre, miré el agua teñida de rosa por la sangre.

Salí de la piscina y le di un mordisco al durazno que me había traído Adrià. Las sirenas más fuertes, la salsa de pescado del Tai de al frente en mi nariz, no es hora del almuerzo, pensé, o sí, no tenía idea del tiempo. Adrià me cubrió con la toalla, una fucsia, la recuerdo bien. Yo sentía algo de placer cuando me quedaba parada, así que me apoyé a la mesa de luz y me tapé la cara. La Kate no sé qué decía, yo sólo escuchaba las sirenas.

La beba terminó naciendo en la cocina porque cuando me desperté del corto sueño que tuve parada decidí que no quería volver a entrar al agua y me fui lo más rápido que pude hacía allá. Adriá me seguía arrastrando la piscina, se le hizo difícil sacarla de la habitación, sé que se le regó esa agua rosada al lado de la cama y él insultaba y seguía hablando sólo en catalán.

Yo dije que quería ver los narcisos y me tuve que agarrar de la mesada, apretar fuerte las manos con la mirada sobre el piso rojo, me salía tanta sangre. Y sólo pude pensar en mí misma caminando con el abrigo negro, ese de UNQLO, por la calle Siete, Avenida A, cerca del primer departamento que tuvimos, el que Adrià dijo que iba a ser demasiado chiquito cuando la beba naciera. Frenazos del *subway* en Astor Place. Línea 6. Verde.

Cuando recordé, o me transporté, no sé muy bien, al Pichincha, y empecé a contabilizar las casas que están sobre esa montaña, salió la beba. Nació Lola. Naciste, Lola. La Kate la agarró, no había escuchado nada de lo que decía hasta ese momento que gritaba *it's your baby, it's your baby girl,* y lo decía excitada, casi llorando. Adrià la acariciaba a la beba llorando. Se la sacó a la Kate y, al fin, me la pasó a mí. Temblaba al sostenerla y la llené de besos, la sobé, la toqué y gritando dije por primera vez en mi vida: mi *guagua*. Nunca había usado esa palabra antes.

2. JUGO VERDE

Son las cuatro de la mañana y ya no puedo dormir, Lola. Así que me he levantado, en puntas de pie. Media encorvada y rara, llegué a la cocina. Puse la pava, quería hacerme un té, pero el agua al calentarse suena como un río frondoso, demasiado para un departamento tan pequeño, el #5A de la 2050.

No sé cómo llegamos acá, hija. Tantas mudanzas que iniciaron desde un lugar que, ahora lo veo, tampoco era tan mío. Malditas o benditas guerras que hicieron que mis abuelos migraran al sur, no al norte como tus abuelos paternos, a un cierto pueblo mesurado por curas que no le permitieron usar a mi abuelo lo único que tenía de ropa, lo único que se pudo traer: un par de bermudas. Tengo imágenes de él que creo que no son ciertas, vestido con una sotana de cura. Él, rubio y pequeño, con un nombre tan alemán, debajo de la sotana las bermudas, y también una estrella de David, rebautizado Ernesto. Mi abuela Hannah escapó de Austria y llegó acá, a Nueva York, no a Brooklyn, al Lower East Side. Trabajó de costurera y dio en adopción a un hijo antes de conocer a Ernesto que vino a buscar mujer. Aquel hijo anterior no tiene nombre en nuestra familia, pero es mi tío. Hannah está grabado en Ellis Island, pero yo no quiero que lo veas, me da miedo de que pienses que este lugar sí es tuyo.

Llegamos por un accidente que no fue mío, pero así se sintió. Me descolocaron, yo estaba situada con vista a las montañas tan verdes como esos jugos que sé que te vas a empezar a tomar en unos pocos años porque están de moda y son saludables y sirven para estar flaca, y son los que se toma ahora esta chica, esta *influencer*, Gigi Hadid. Le digo *influencer* porque no sé muy bien qué hace, pero sé que todas las chicas quieren ser como ella, Lola. Acá todo el mundo quiere ser otra persona. Tú todavía no lo necesitas, hija, todavía me pides que te desenrede el pelo cuando está muy enmarañado y ya tu cepillo rosa no pasa. La peinilla no te gusta usar, te arranca pelos si no lo hace mamá, dices. Es que te secas muy duro con la toalla y ahí se te hacen motas y bolas porque tienes el pelo tan lacio y tan fino, y también como los herbajes amarillos, largos y suaves de las montañas de donde nos descolocaron.

No sé porqué te hablo en plural, mi pequeña Lola, si tú no llegaste de las montañas. Sólo te has cambiado de Astoria a Brooklyn, pero yo siento que ya te cargaba cuando me descoloqué o me descolocaron. Cuando me di cuenta de que siempre estuve desplazada, de que no tengo lugar, yo ya te cargaba.

Acá cuento las ventanas como solía contar las casas en la montañas. Son tantas, hija. Tengo sed, pero no quisiera que el río frondoso te despertara y que me encontraras de nuevo divagando, buscando algún lugar de pertenencia, porque aunque no se diga nada, yo sé que tú lo entiendes y me da miedo haberte heredado el mismo sentimiento, Lola. Ni yo sé bien de dónde eres, si neoyorquina, ecuatoriana, catalana o qué, una rubia de ojos azules *non—white*, hispana. Cuántas etiquetas te dan, cuántas etiquetas te pongo.

El sonido del agua que hace la pava es como el del Río Chiche que no es tan bravo. Ahí donde solíamos, qué digo, solía ir con mi abuelo ya sin sotana de cura. Él se sentaba en una piedra plana y arraigada a la tierra y abría su libro y no le quitaba los ojos de encima. Los rayos llegándole justo a la coronilla, su pelo era parecido al tuyo sólo que bastante lánguido en esa luz. Yo caminaba por el filo del río, cuántas veces me mojé las bastas de los pantalones y él ni se dio cuenta. Hasta ahora no sé qué leía. Me llevaba algunos fines de semana después de la separación de mis padres, no sé si mamá se lo pidió o lo hizo por voluntad propia. Yo llegaba a casa picada porque había mucho mosquito, pero a mí me encantaba (hasta ahora me encanta) rascarme hasta sangrar y que luego se me hicieran costras y rascarme otra vez y sangrar de nuevo. Luego me quedaban marcas blancas por todas las piernas y los brazos, y las amigas de mamá preguntaban qué me había pasado y luego le recomendaban que me pusiera la Mebo, que eso me iba a sacar las manchas. Y los amigos de mi hermano que me decían, ya adolescente, que era una *carishina*, esa palabra se usaba entonces, y que debía broncearme o algo para sacarme las manchas. A mi abuelo no le picaba nada porque él siempre iba con manga larga y pantalones, ya nunca más se puso bermudas, ni cuando hacía calor.

3. CASA 25

Mamá lo contó como si hubiese recibido un golpe atroz. Estaba ahí en esa cama de hospital. Yo me había colocado junto a ella, media aplanada media despatarrada, en una silla *beige* y fría. Hablaba de sus oídos, que le dolían, que era como si le silbaran todo el tiempo, y con una especie de ardor. Yo empecé a sentir algo así como una náusea de sonidos. No hay letras en el abecedario para explicar lo que yo escuchaba, como si hubiera estado en el choque. Mientras tanto, mamá trataba de contarme los detalles: cómo había sido desde que salió de casa hasta que el otro auto apareció. En una calle pequeña, cerca de la Avenida de La Prensa. Cuando lo vio de frente, no se tapó los ojos, se tapó los oídos. Quiso presionar los tímpanos, intentarlo por lo menos. Su grito fue más fuerte ahí adentro, escuchó hasta la lágrima que caía en la palanca de cambios. El zapato que se toca con el freno: clan. Su pie apretando y ese clan subía hasta su garganta. Yo sentí ganas de vomitar por los oídos y no por la boca.

Quise ayudarla a acomodarse bien en la cama, moverle la almohada o pasarle un vaso de agua. Pensé en llamar a mi hermano, que se apurara, le iba a gritar, pero no podía porque mamá seguía hablando. Entonces, no sé si para protegerme o qué, desvié la mirada y me encontré con una ventana diminuta desde donde pude ver el Pichincha. Una, dos, tres, cuatro, numeraba las casas en las faldas de la montaña. En la casa número veinticuatro volví la mirada hacia mamá y sólo por el movimiento de sus labios y no porque la escuchara, pude percibir que me seguía narrando, con lujo de detalles, el accidente. Pensé, como una estúpida, si mi madre se quedaría el suficiente tiempo en el hospital como para poder contarlas todas.

De nuestro auto, del auto de mi hermano, no dijo nada. El Vitara que le prestaba, de vez en cuando. Para comprárselo, Arón le había pedido la plata a su jefe, un judío millonario, como todos los de esta ciudad menos nosotros, que tenía muchos negocios. Mi hermano justo en ese momento había viajado a Manabí para cerrar una venta. Volví a desear que estuviera ya acá, y cuando me fijé en la boca de mi madre que se movía, imagino pronunciando las palabras, percibí que la piel alrededor de sus labios estaba morada. Un color desubicado en ese cuarto, muy fuerte al lado de las cobijas con las que estaba tapada, pero tan parecido a aquel de mi rodilla a los siete años, esa vez que me caí y me lastimé cuando fui de paseo con papá y dos perros al parque.

Fuimos caminando desde casa, él no me tomó de la mano en todo el camino, tampoco llevaba a los perros con correa. Lo seguíamos como una manada. Papá me hablaba de los obreros con los que trabajaba, de cómo uno se había ido con su plata. También me hablaba de que podría empezar a leer Oliver Twist y luego seguía con que había leído Madame Bovary. A mí me pareció chistoso el nombre Bovary, hasta que leí la novela. Yo estaba ocupada en recoger basuritas de la calle porque mamá me había enseñado a hacerlo. Papá se fumó cuatro cigarrillos en todo el camino, las colillas las tiraba al suelo, yo las levantaba. Los perros resoplaban a mi lado. Uno de ellos, Bobby, hacía lo mismo que yo, miraba hacia abajo cuando caminaba. Justo antes de llegar al parque fue cuando me caí en una vereda por no mirar hacia delante. Quise llorar pero mi papá me dijo que me levantara, que los perros tenían sed, que no había sido nada. Llegamos a una banca y nos sentamos, los perros corrían alrededor del pasto, a veces ladraban a la gente que pasaba, mi papá seguía con lo de Madame Bovary hasta que dijo que se iba a mear y se fue a una esquina. Regresó con los pantalones medio abiertos, como siempre hacía. Y adelante mío se los cerró. Yo me puse a jugar con Bobby, me dolía la rodilla. En casa, mamá me puso hielo pero el color violeta medio verdoso duró más de un mes y me prohibió que saliera con papá y los perros.

¿Vendría papá si se enterara del accidente? No lo había visto por tres años, y no entendía por qué me importaba que viniera. Las cobijas hicieron un sonido que me destempló los dientes.

La enfermera entró sin golpear la puerta, por suerte. Le pedí si podía volver cuando mamá despertara pero dijo que no, que iban a tener que llevarla a hacer imágenes de la columna, que era el turno. Una resonancia magnética. Ondas de radio generadas por una computadora para crear imágenes detalladas de los órganos y tejidos del cuerpo de mamá.

Yo me quedé en esa silla *beige* mientras se la llevaban. La enfermera me dijo con tono mandón que abajo había una cafetería. Marqué el teléfono de mi hermano, sonó tres veces y colgué. Cerca de la ventana miré el Pichincha y traté de ubicar la casa veinticinco para volver a mi cuenta, pero no sabía cuál era.

4. DEGLUCIÓN

Deberíamos haber regalado esa lamparita musical de vaca que tienes desde que eras bebé. Te la mandó mamá, parece una chuchería comprada en el mercado Santa Clara. El *lullaby* de Mozart suena mal, entrecortado, demasiado bajo. Es un intento de estimulación temprana para bebés que no llega bien a los mercados. Yo tengo recuerdos discontinuos. Olor a laca de madera mezclado con el mimbre de las canastas. Frutas que no hemos encontrado acá todavía: guayaba, chirimoya y mangostino. Salivo. Mujeres con delantales sucios, indistinguible si tenían panzas de embarazo o no, cargando a bebés dormidos que colgaban dentro de telas en sus espaldas. Yo me tapaba la nariz y sentía arcadas cuando llegábamos a la parte de los pescados. Se exhibían en unos congeladores con hielos derretidos, cabezas gigantes para las sopas. Los ojos pasmados, pelotas sólidas. Muy parecidos a los de las muñecas, por eso nunca me gustó jugar con ellas. Aletas y colas, vísceras. Nada se podía desperdiciar. Yo a veces vomitaba. *Caserita*, le decían a mamá, vea, le vendo esta mezcla de hierbas para que le haga más aguantadora a la guambra. Qué va a ser, vomitar así por una tilapia. Mamá me apretaba la mano con enojo. Todo era más barato, decía. Que me aguantara, decía. Que siempre le jodo la vida, decía.

Tu cama está hecha, me recuesto encima. La música torpe sigue. No quiero coordinar más con Adrià todas las semanas. Compartirte así me arranca, me desmenuza el cuerpo. Soy trozos mientras escucho el *lullaby* de Mozart. Los hijos no deberían deambular por dos casas. Podríamos inventar otra institución, *después del matrimonio*. Firmar, dar la palabra para no dividirlos, fragmentarlos como si fuesen piezas. Prometer vivir en casas de dos pisos. Que sea la única manera de separación posible.

Me lleno de ganas indomables de llevarte de acá. Mantenerte cerca, pegada a mí, como cuando lavo los platos y sueles venir, apoyas tu cabeza en mi muslo. Te chupas el dedo. Yo escucho la succión, siento tu brazo alrededor de mi pierna. No te quiero mojar, pero el agua salpica en tu pelo que se ve dorado con el reflejo del sol. Así, tú pegada a mi pierna, y yo sosteniéndote, atravesaríamos aeropuertos, espacios apátridos, hasta encontrar un lugar de pertenencia para las dos. Adrià no quiere, no me va a dejar, me ha dicho. Al país de indios no, ni loco. Que no te va a tener lejos. Yo buscaría un monte donde el verde no fuera uniforme. Meter a las citadinas a un lugar de ponchos, botas y tierra. Siembras, huertos. Cosecharía choclo blanco, no podría ser el amarillo dulce que te encanta de acá, ahí no crece. Secaría las lágrimas de añoranza por un padre con algodones llenos de manzanilla. Al frío de la sierra lo apaciguaríamos con leña de nuestros propios árboles, el soroche se mejora poniendo sal en la lengua y no masticando hojas de coca como dicen.

Al fin ha terminado de sonar la música. Yo no sé cómo se prende fuego, tampoco cosechar, la distancia lo difumina todo. Cuando hace frío enciendo el calefactor, sé que para aguantar el invierno en la ciudad hay que ponerse varias capas. Me pregunto si Adrià también sostiene tus camisetas interiores y sacos para ayudarte a vestir. Acá no sirven esos ponchos, por más pesados que sean. Tampoco las botas, no van con el asfalto. Sí sé de alturas y de haciendas, pero esos conocimientos los puse en una orilla, ya no los necesito.

Prefiero salir de tu habitación, el departamento está hinchado, es uno de los sábados que le toca a Adrià, que era mejor dividir los fines de semana también, me había dicho, que era lo justo. Lo justo sería que no nos fraccionáramos, que no tuviera este esputo en la boca, náuseas. Luego de vomitar en el Santa Clara, venía la hija de Doña Anita, la *casera* de mamá. Yo la recuerdo bien, no tenía más de doce, se ataba el pelo abultado en una trenza que le llegaba a la cintura y tenía los dos dientes delanteros metidos hacia adentro, siempre me sonreía a pesar de que seguramente me odiaba. Venía a limpiar el vómito con un trapeador inmenso para sus manos, y yo sólo podía mirarle las tetas que se movían de lado a lado mientras enjuagaba. Creo que no usaba formador ni nada porque se movían mucho. Doña Anita siempre le mandaba a hacer todo, que pelara las habas, que el bebé no se fuera gateando hasta afuera de la puerta, que necesitaba monedas para los vueltos, que trajera la mezcla de hierbas: hinojo, matico y unas gotas de sangre de drago. Vea, *caserita*, le decía a mamá, darale esto a la guambra, unas tres veces al día, que se papee nomás, que está muy debilucha. Mamá me apretaba la mano, agradecía, pero estaba más preocupada cerciorándose de que le llenaran el canasto con más taxos y granadillas que había pedido. Cuando terminó de comprar, la hija de Anita me dio como regalo un limón partido por la mitad y una bolsa pequeñita de plástico de sal. Mordí la punta y esparcí la sal por el limón. Ya saliendo, pasamos de nuevo por los pescados pero yo ya no los miré a los ojos, agrandé el hueco de la bolsa y me puse un buen tanto debajo de la lengua.

Creo que será mejor salir de Ocean Avenue. Tomaré el N hasta St. Marks Place. Decibel queda en la calle 9. Quiero tomar sake, quemar mi esófago. Yo, que rehúyo del mar por ser cimbreante y egoísta, que revuelca y engulle todo lo que ve hacia adentro, terminé viviendo en una avenida con su nombre. Océano se oye mejor. Aunque es lo mismo, nos sigue a los descolocados para recordarnos que somos minúsculos y sonamos bajito, que nada nos pertenece. Abro la puerta, voy a salir, iré por mi sake.

5. JASON SCHWARTZMAN

Adrià toca el timbre, contesto rápido por el citófono que siempre hace un ruido insoportable detrás. Lola sigue dormida, mejor si subes le digo. Me acomodo el pelo, lo tengo cada vez más fino como pelusa. Sus dedos pasaban por allí dejando calles transitadas. Le gustaba acariciarme la cabeza, el cuero cabelludo en realidad, con sus yemas redondas que hacían presión en los puntos perfectos.

Abro la puerta y está allí con todo su cuerpo intenso y plantado, reclamando derechos de padre. Tiene la quijada ancha y llena de pelos de barba mucho más negros que el castaño oscuro de su cabeza. También se ha dejado el bigote y la boca asoma con labios carne, grandes y rojos. No puedo recordar lo que se siente el paso por allí, entonces trato de imaginarlo y me comprendo encendida hasta que él me saluda con dos besos y pasa. Mejilla derecha cepillada por pelos, mejilla izquierda me pica. La barba es demasiado tupida. Entra y pregunta si ya he alistado a la niña. Pero yo no la desperté de adrede y no tengo muchas razones. Quizá para demorar el desgarro o, viéndolo bien a él, quizá para alargar minutos pretendiendo ser todavía una familia de tres.

Ahorita la despierto y la alisto. ¿Quieres un té o algo? Él se ha sentado en el sofá y está hojeando una revista marcada con *post–its* en la página del artículo de Karla Cornejo Villavicencio: *Waking Up From the American Dream*. Lo pasa de largo, llega a las caricaturas y se ríe. Un café, y se acomoda. Miro sus piernas largas. Se ha puesto zapatos de colores, como esos que se usan ahora, aprovecha mientras está fuera de su oficina en el banco. Puedo ver su cuello desde la cocina, me da ganas de abalanzarme hacia él, que descruce las piernas, sacarle esos *jeans* tan apretados que remarcan su culo redondo y perfecto.

Le preparo el café en una taza pequeña y cuando se lo sirvo, sus ojos pétalo se levantan de la revista y se plantan sobre mi cara. Yo me toco la nariz, porque eso es lo que hago cuando me pongo nerviosa. Estoy con el pelo suelto, esta mañana que sabía que iba a venir me puse dos gotas de aceite de lavanda detrás de las orejas y en los talones. ¿Habéis estado bien hoy?, me pregunta, y le da un sorbo al café. Está puesto una camiseta rosa que dice Tokyo en letras naranjas y hay una ilustración del perfil de una chica rubia y con el pelo ondulado, como movido por el viento. Sí, Lola sí, yo un poco cansada, tú, le pregunto, y me siento frente a él a tomar mi té. No sabrá por qué me siento si debo ir a despertar a nuestra hija para que se la lleve a caminar por el Meatpacking o a la plaza, al teatro o al cine, tal vez a conocer a una nueva mujer pelo grueso, alemana, tal vez rusa, alta y de pómulos salientes. La camiseta está linda, esa la dejaría, las ganas insolentes de desnudarlo, acariciarle y tirar con él en ese sillón que nunca compramos juntos son despiadadas. Sí, bien, me responde y me mira, ahora sí fijo, reclamando por haberme sentado. Ayer volví a ver *Darjeeling Limited*, dice y vuelve a las páginas de la revista.

Cuando lo conocí, yo le dije que se parecía a Jason Schwartzman, pero más alto y en *goy*, y me reí mucho y me divertí tanto. Adrià no sabía quién era y quedamos en ver sus películas. Todas le aburrieron, excepto *Darjeeling Limited*, porque decía que la música era sublime y ahí conoció a Peter Sarstedt y no dejó de escucharlo y averiguar sobre su vida por meses. Cantaba a cada rato *Where Do You Go To (My Lovely)?*, y hablaba del acordeón y del tono y la cadencia, de sonidos y susurros. Es auditivo, una persona sonora. Oye desiertos, dunas y hojas, pero no me escucha a mí. O no quiso escucharme, mi decir le daba miedo. Mi lengua hablaba de éxodos y traslados. Movimientos que cambiarían la constitución de las cosas. Mis sonidos eran nostálgicos y extrañaban, bifurcaciones, registros de memoria que contaban de destierros y ausencias. Preguntas sobre la crianza en lugares ajenos, imposibilidad de la vuelta. Murmullos que se le colaban en su planes, ascensos en el banco. Ollas de agua hirviendo que evaporaban palabras como *éxito* o *ganancia*.

No la he vuelto a ver desde que nos separamos, le dije, puse el té sobre la mesa de centro y sentí mis pezones duros que traté de tapar con un chal. Estoy segura de que regresó a la natación porque sus hombros se ensanchan con tan poco y a mí me recuerdan las uñas hundidas en sus omóplatos con fuerza, casi rasguñando, haciendo daño, pidiendo muchísimo: que ese hombre se inserte en mí, todo él adentro, preservando mis sonidos, rellenando el ser segmentado.

Seguro si la volvieras a ver te acordarías de mí, no sé si lo pregunta o lo afirma pero veo su boca entremedio del pelo y quisiera arrancársela para que no dijera eso, ni produjera babas tibias que saben tan bien y mojan cada parte del cuerpo en formas indecibles con este lenguaje. Boca arrancada para que no mate planes ni vueltas, que me deje ir.

Sí, mucho, le digo, y lo miro y no quiero que se dé cuenta de mis ojos en sus piernas, en toda su cara de Jason Schwartzman y en sus oídos que tanto escuchan, en el cuello. Quisiera sentir el hoyo huesudo y musculoso del medio de sus omóplatos, clavar uñas, recibir babas. Mis ojos que piden volver. Pero él con toda su boca carne se da cuenta y cierra la revista, termina su café y me pide que despierte a nuestra hija porque se tiene que ir.

6. SECURITY BLANKET

Hannah estaba por cumplir los quince años cuando, al fin, aprendió de memoria el camino de su casa al trabajo en su nueva ciudad. Todavía escuchaba el mar demasiado cerca. Las olas golpeando con el metal del barco, el flujo del agua en su oído cuando la máquina inmensa se movía. Ella mareada, no podía ni mirar ese líquido salado que la transportaba a un lugar ajeno. No tenía ventanas, estaba rodeada de madera, asientos duros donde a veces se quedaba dormida. Si quería ver tenía que subir a la cubierta, pero a ella le daba miedo.

Ajeno: palabra extraña que durante el viaje se le filtraba por los huesos hasta llegar al recuerdo; más bien, al repaso de su vida, de la gente que quedaba en ese territorio *binnenstaad* al que no iba a volver. Ella, como yo, no tenía ningún parentesco con el mar. Esa bestia a la que tantas personas le rinden tributo, donde dicen querer ir cuando sean viejos. Retirarse allá, observarlo desde una casita de playa.

Era una sensación bastante extraña para Hannah, el moverse o ser movida sin saber a dónde. El agua la transportaba, zarandeaba el barco al que habían conseguido entrar a cambio de la sortija de su madre. Mucho después se daría cuenta, mientras manejaba la Singer, de que había heredado esa costumbre de ella de tocarse a cada rato el dedo anular. Como si lo sintiera desnudo, expuesto a algo. Es lo que más se le enfriaba en invierno, a pesar de los guantes. Esos sí logró traérselos de Austria.

Las puntadas también le recordaban al agua. Taciturnos claps, gotas que salpicaban a bordo. Por eso a veces, Lola, cuando te coso tu telita, la *security blanket* con la que te chupas el dedo, intento escuchar el agua. El hilo que traspasa para mí suena más a tierra, polvo que se desintegra, que nace de un lugar y se esfuma, se va hacia arriba o a los costados y luego vuelve a la *security blanket*. Qué nombre le han puesto estos gringos a una mantita. Sólo un pueblo hecho de exilio puede nombrar así. El polvo que llega a la manta, ¿le hace segura?, ¿le hace tierra?, quizá sea tu patria la que succionas con cada chupada.

El trabajo de Hannah le quedaba muy cerca de la casa, de la habitación que compartía con sus padres en el departamento de un tío lejano que los había recibido. *Basement* de la 508 Grand Street, esquina. El edificio de ladrillo visto, aunque angosto, era uno de aquellos a los que se les permitía hacer divisiones donde pudiesen vivir familias múltiples usando la misma cocina. Conventillo, diría Adrià. *Tenement houses*, aprendí que se llaman.

Hannah caminaba a Orchard Street, donde habían quedado algunas pocas fábricas pequeñas de costura y confección. Las demás ya habían sido mudadas a la 34 y quinta. Caminaba con Zdenka, una checa que llegó antes que ella y era un año mayor. Faldas debajo de las rodillas que rozando las medias nylon hacían un retumbo en surco. La tela suena tan diferente al mar. Zdenka se iba a casar al siguiente año con un hombre de Suffolk y seguramente iba a dejar de coser. Las dos tenían los dedos azorados de tanto presionar la máquina, y Hannah siempre frotando el anular.

Quise buscar alguna señal de ella el otro día que fuimos al 504 de Grand Street. Fiesta de cumpleaños adentro de este *co—op* tan *cool.* Fiesta número cinco, Gavin, tu compañerito de la escuela. Ya no se usan globos, está mal visto. No son ecológicos. El departamento era precioso, tuvimos que sacarnos los zapatos para entrar. Un *chaise* gris de West Elm (recibo el catálogo por correo), encima una cobija peluda que parecía estar sólo de adorno. La mesa de centro era estilo hindú, quizá de ABC Carpet and Home (no recibo el catálogo, pero siempre que paso por allí entro para ver todo lo que no puedo comprar). Debajo, una alfombra que, seguro, no se la compraron en New York. Padre y madre tenían pinta de haber viajado al sudeste de Asia cuando todavía no entraban en el mundo del *marketing,* cuando todavía no les importaba si te sacabas los zapatos para entrar a su casa. Banderines de colores con el nombre de Gavin hasta en la cocina abierta, y en el mesón donde estaban los bocaditos que ningún niño iba a comer. Me ofrecieron espumante, pero preferí servirme la limonada colocada a la altura de mi cadera. Vasos de vidrio, el chorro que pulsaba.

Conversé con algunas mamás; sí las conozco pero no tenía ganas de hablar, sólo quería encontrar a Hannah en algún lado, en algún detalle, quizá en un ladrillo que ahora es tan *hip.* Ladrillo visto, decía Adrià. Contesté con *síes* y *noes,* una de ellas me contaba, en inglés, que sus padres eran ecuatorianos, que habían nacido y crecido en Boyacá, manabitas. No pude dejar de asombrarme cuando, con un acento raro, me aclaró que eran montubios. Apenas comenzó con que ella quería ir de visita, que creía que todavía tenía primos allá, fijé mi mirada en tus amigos y por supuesto en ti, que corrían de la habitación donde estaban los juegos que habían preparado con tanto esmero los padres de Gavin para que se quedaran allí, hasta la sala y comedor, y volvían en círculos. Siempre que ríes lo haces muy alto, como yo nunca pude. Me sienta bien escucharte. No sólo creces de altura sino que tu cadencia en el mundo se va acentuando con fuerza.

Me pregunto si Hannah alguna vez sonó así. Nunca la escuché reir. La recuerdo siempre vieja, con arrugas en su piel tan blanca que parecían tajos. Cortes delineados casi transparentes que le fragmentaban la cara. Tenía tantas que se volvían sombras, era muy flaca con pómulos salidos y duros. El pelo corto peinado con rulos anchos. Yo pensaba que así era su pelo, que se despertaba así, jamás la vi despeinada o sin maquillaje. Era severa, no me abrazó nunca, ni a mí ni a mi hermano, tampoco la vi abrazar o siquiera tocar a mamá. Ellas casi no hablaban. Mirada rabiosa, ojos esmeraldas, agrios, pesados. Cuando saludaba no te daba un beso, apoyaba fuerte su mejilla demacrada a la tuya, como si te quisiera pegar. El abuelo Ernesto nos obligaba a visitarla, pero yo a ella le tenía miedo y apenas llegaba me iba a ver televisión. Iba al cuarto del abuelo porque ellos dormían separados. Una vez entré a la habitación de Hannah sin que nadie me viera, no sé por qué. Tenía curiosidad, como la tengo ahora, de encontrarla en esos ladrillos. Recuerdo haber tocado su almohada, apoyarla en la nariz. Olía a agua seca. Babas o lágrimas, no lo sé.

La madre, hija de ecuatorianos, seguía con que quería visitar Ecuador, que a dónde le recomendaba ir. Que ella fue una vez a Costa Rica en *spring break* y la había pasado muy bien. Los desayunos eran parecidos a los de su casa, arroz con carne y huevo frito. Creo que por eso ella relacionaba los dos países pero no estoy segura porque la escuchaba sólo por partes. Me la estaba imaginando, a Hannah, también buscando en paredes. ¿Qué se sentirá buscar pedazos en un lugar donde sabes que no vas a encontrar?

Años más tarde, en sus viajes con el abuelo Ernesto, esos ya importantes a Nueva York, quizá buscaría a su hijo. La imagino en la exploración, mirando caras de señores. Rasgos: unos ojos esmeraldas. Clasificando, así como hicieron con sus familiares, cuál sirve y cuál no. Viendo narices, músculos, tipos de pelo. El bebé había nacido bastante rubio, pero ella sabe que esos colores luego cambian, así que no descartaría los otros. Cómo clasificar. Era ella la que daba números ahora. Tatuajes en los brazos, hacía esa operación.

Volví a escuchar a la ecuatoriana cuando me decía, como doliente, que sus padres nunca podrían ir a Ecuador, que era su deber ir. Ahí bajando un poco la voz añadió un *they are undocumented, you know*. Le ofrecí mi teléfono, para cuando vayas le dije, te puedo dar *tips* de lugares y cosas que hacer.

Camino a casa lloraste del agotamiento, al llegar no quisiste comer ni bañarte a pesar de los rezagos de la fiesta: caramelos pegados en el pelo, gelatina alrededor de la boca, olor a canguil. Me pregunto si cuando chupas tu dedo, de alguna manera estás también succionando eso de lo que habló Primo Levy en su *Trilogía de Auschwitz*, libro que inexplicablemente me dio el *goy* de mi papá: el dolor antiguo del pueblo que no tiene tierra, el dolor sin esperanza del éxodo que se renueva cada siglo. No te quiero desterrada, hija.

7. DALLAS

Supe que mamá nunca había tenido un orgasmo cuando ella mismo lo declaró, como si nada. Fue en casa de mi tía y prima, las gringas. Para ofrecerme posada cuando recién llegué, le pusieron de condición a mamá que fuera ella quien viniera a dejarme. Decían extrañarla mucho y querer verla. No creo que se pueda extrañar algo que no se conoce. Mamá y la tía Lea son hermanas, pero vivieron juntas muy pocos años. Ahora sé que sólo querían ver cómo eran esa hermana y su hija del país salvaje. Fuimos ratas de laboratorio.

El viaje fue complicado porque tuvimos que hacerlo al poco tiempo del accidente de mamá. Arón y ella estaban apurados por descolocarme, exportarme. Remitir. Así que tuve que arrancarme a la fuerza, subir y bajar de aviones, empujar, por aeropuertos desconocidos con pisos demasiado brillosos y olor a comida, su silla de ruedas y las dos maletas. Una tenía mi ropa y demás cosas que servirían para instalarme. Otra estaba llena de carteras tejidas por las indígenas que, supuestamente, tenía que vender para ganar un poco de plata hasta asentarme y conseguir trabajo. Que estaban de moda esos tejidos, habían dicho. También dijeron que no me preocupara, que el trabajo me lo conseguirían ellas.

No nos recibieron en el aeropuerto, le explicaron a mamá cómo tomar el SuperShuttle, y que nos demoraríamos alrededor de hora y media en llegar a su casa. Me causó letargo sentir el aire seco apenas se abrieron las puertas automáticas para salir, pero tuve que avivarme para encontrar la van. En el camino, mamá se durmió y yo no me pude acomodar. Mi pelo se había enredado en el vuelo, me ardían los ojos. En medio de ronquidos y conversaciones en inglés y español, de la radio brotaban canciones, ahora no recuerdo si las conocía o no. Me dolían los pies, como si al arrancarme del suelo me hubiese despellejado. Dejé pedazos de piel allá. A través de las ventanillas, buscaba montañas.

Cuando llegamos, no nos esperaban afuera como pensé que harían. Timbré y me gritaron que abriera, la puerta no tenía seguro. Las dos estaban sentadas en la alfombra. Eran las cinco y media de la tarde pero ellas ya habían servido la cena sobre la mesa ratona de su sala. La tía se levantó a abrazar a mamá, y luego le gritó a Katya, medio enojada pero sonriendo, que se levantara. Ella me abrazó y besó como si nos conociéramos, y luego dijo que dejáramos allí las maletas y nos acercáramos a comer. Que debíamos estar muertas de hambre. Ninguna me ayudó con la silla de ruedas.

Me senté sobre la alfombra también, acomodé la silla de mamá al lado de la tía y, por un buen tiempo, mientras comíamos, me quedé callada, sintiendo el estómago calentarse con cada pedazo de *meatloaf* que llegaba masticado con saña. Las preguntas iban dirigidas a mamá, no estoy segura si en ese momento ellas sabían que yo sí hablaba inglés. Igual, aunque ahora ya lo saben y he vivido nueve años en este país, ellas siguen alargando las palabras cuando me hablan. Creo que conversaron sobre el viaje, sobre cómo estaba mamá después del accidente, sobre Arón. Cuando escuché a mamá preguntar por Jeff, di vuelta la cara porque la sentí sonrojada, me

calenté de nuevo como cuando era niña y nos vino a visitar a
Ecuador. Jeff también es hijo de la tía Lea pero se mudó de
Texas, vive en Delaware.

Ya en el postre, Katya contó cómo su no pareja —así
lo dijo ella misma en inglés— le practicaba sexo oral en la
cocina del restaurante donde trabajaba de mesera, y él de
recogedor de platos. A mí lo que más me llamó la atención
era que hubiese un trabajo de recogedor de platos. Siempre
pensé que las meseras hacían eso. Bueno, en Dallas no. Ahora
lo sé, acá en Nueva York, tampoco. Y probablemente en ninguna ciudad de Estados Unidos. Katya decía que tenían que
esconderse de su *manager*, se iban atrás donde guardaban los
artículos de limpieza, y rapidísimo el mexicano le pasaba su
lenguota, así lo dijo, y luego habló por un buen tiempo sobre
las lenguas de los mexicanos. Que ella estaba segura de que
eran más grandes que las de los *white*. Y que la movía de
arriba abajo tan rápido que ella tenía que morder un trapo
para no gritar de la cantidad de orgasmos que tenía. Después
se tuvo que secar con el mismo trapo que había mordido porque quedó tan mojada que parecía como si se hubiese hecho
pis. El mexicano salía como si nada, babeado toda la cara, a
retirar los platos.

—¿Hablas de Eddy, en serio, tenía una lengua tan grande?
—le preguntó su madre mientras las gotas de sudor llega-
ban a sus lentes. La tía Lea es gorda, usa vestidos cortos que
dejan ver sus piernas blancas atravesadas por venas en forma
de algas violetas. Siempre suda.

—No, mamá, Eduardo no es el único mexicano con el que
cogí, ¿sabías eso, mamá?, ¡he cogido con un millón de mexicanos! —le gritó Katya, agarrando unas pepas de girasol de
una bolsa de marca David Sunflowers.

Me pareció raro que extendiera tanto las letras cuando dijo
Eduardo, así que me la quedé mirando. Katya tiene los ojos

demasiado redondos. Pareciera que alguien se los hubiese dibujado y pintado con un crayón celeste sin marcar tonos ni rastrear la pupila. Su cara también es redonda, los labios muy finos, y tiene un lunar pequeño debajo de su nariz. No sé si es sexy o no, el lunar. Escupía las pepas y, estoy segura, estaba por empezar a contarnos con cuántos mexicanos había *fucked*, cuando ahí soltó mamá lo del orgasmo. Lo dijo mirándose los pies, sin ningún pudor.

Katya hizo un alharaque, empezó a gritar que eso era imposible, que cómo una mujer a su edad no podía haber tenido un orgasmo. Se levantó diciendo que iba a traer de su cuarto un vibrador, que no se preocupara, que lo podía lavar y que si quería ella le podía enseñar a usarlo. Luego contó que ese vibrador se lo había regalado su ex con la condición de que le dejara tirarle por el *ass*. Lea estaba más interesada en preguntar a su hija de cuál ex hablaba, y yo miraba a mamá en busca de algún gesto.

Fue ahí que me di cuenta, por primera vez, que jamás me había hablado. Obvio, emitía palabras como vístete, lávate los dientes, no grites, comparte tus juguetes, es hora de bañarse, siéntate bien, con las piernas cerradas, no le hables así a tu hermano, papá ya no va a volver, haz tus deberes, los nombres propios se escriben con mayúscula, no puedes ir a esa fiesta al menos que te lleve tu hermano, ayúdame a poner la mesa, no te gastes toda el agua caliente, hazte una cola que pareces una loca, estoy conversando ahorita con mi amiga, no me interrumpas, saca buenas notas, sírvele el almuerzo a tu hermano, eso se llama la regla y te viene cada mes, ya te compro una toalla higiénica, anda a cambiarte, no vas a salir así de la casa, no te presto mi pintalabios, todo el día metida en esos libros que te dio el cabrón de tu papá, no tengo plata, para qué quieres usar sostén ahora si no tienes tetas, esto es lo que hay para comer hoy, no llores, no digas eso, no pienses eso, eso no es así, tienes que irte, necesitamos plata, ten un poco de decencia, mírame cómo estoy, mira lo que he hecho por ti, no pude trabajar nunca porque les tuve a ustedes, no agarres las cosas de tu hermano, ya te organizamos todo, vas a estar mejor allá, necesitamos tu ayuda, no seas egoísta, sólo piensas en ti y en ese mamarracho, con la tierra no se juega, con el agua no se juega, con las pinturas no se juega. Con esto no se juega, no hay opción, ya lo arregló tu hermano, te tienes que ir.

Pero nunca, de verdad, me habló.

8. BAGEL

Robert, se llama el hombre, es alto, trabaja en construcción y vive en Staten Island, pero viene a dejar a su hija Perin hasta acá cuando le toca su semana. Salimos de la escuela juntos en las mañanas, no sé si me sigue o qué pero entra al mismo *deli*, él se pide jugo de naranja y un *poppy-seed bagel* con *cream cheese*, lo untan tanto que chorrea por los lados, luego lo tiran en una bolsa de papel marrón con alrededor de veinte servilletas. Yo pido un americano y cuando me lo entregan está tan caliente que se pasa por el cartón que le ponen alrededor y me quema los dedos. Luego caminamos juntos a la parada de Kingston Avenue, ahí nos separamos porque yo tengo que tomar el 3 y él se tiene que ir al C. Creo que me estoy acostumbrando a este hombre *beige* de cara en forma de un cerro alto. Tiene manos grandes que llevan el *bagel* a la boca y manchan la comisura de los labios. Lo empiezo a extrañar cuando no viene. Él preferiría que Perin estuviera en un colegio privado, pero su ex, a quien todavía llama *wife*, no quiere porque le tocaría mandarla lejos y ella nunca se va a mudar de allí. Vive al lado de sus hermanas y su madre y, según Robert, es demasiado cercana a ellas, como todas las turcas mimadas. Yo casi no hablo en nuestras caminatas, él huele a pantano y va lento. Me hace llegar tarde al trabajo, pero sosiega los sonidos ásperos y la falta de montes que tocan nubes de esta ciudad tan plana. Los edificios son sólo simulacros. Por eso quizá lo extraño, por eso quizá le contesté la primera vez que hablamos cuando supuestamente se sorprendió al oírme pedir el café en español. Soy muy clara para su noción de los marrones, los *brown*.

—No sabía que hablas español —lo pronunció bien y rápido a pesar de su acento marcado—. ¿Tu hija también va al PS 170, no?

—Sí —le contesté, y empecé a caminar. Tuve temor de su seguridad, de su forma de lanzar palabras en idiomas que le placen y le sirven para conseguir lo que quiere.

Tuve un poco de miedo de los huecos de su nariz, que se abrían demasiado para recibir el aire y se cerraban para descargarlo.

—¿Vas al *subway*? —agarró su bolsa para seguirme—. *So, where is home?*

Esa pregunta sí la hizo en inglés, creo que sabía muy bien que no hay una traducción exacta para eso, que no se puede preguntar así a una descolocada en su propio idioma. A veces quisiera ser el hálito que queda de preguntas que no se pueden contestar. Lo miré bien y percibí cierta penumbra que contrastaba demasiado con el entorno ruidoso de pies en el asfalto y manos y bocas que se mueven y se transportan, emiten palabras, se nombran.

A mí me descolocaron, fue un plan de mamá y Arón.

—Vivo en Ocean Avenue.

—Me refería a que de dónde son —me explicó, aunque sabía muy bien que yo había entendido y que no tenía que volver a hablarme en inglés.

—Soy de Ecuador.

—¿En serio? No pareces, trabajo con muchos ecuatorianos, soy *contractor*, es más, tuve que aprender español para poder hablar con tus compatriotas.

Vivo harta de que me digan eso, ya sé que no cargo una mochila con la paga del día. No sé por qué, como para justificar algo, como una idiota, ahí le dije que soy judía y me reí bajito. No practico la religión, las únicas veces que supe algo del judaísmo fue cuando mi hermano Arón volvió a la sinagoga animado por su jefe que lo tenía de favorito y le pagaba las cuotas de la comunidad. Que había que ayudar a Israel, decía, en casa nadie había mencionado a Israel antes, pero se volvió súper importante.

Podría haberle dicho a este hombre solitario que come *bagels* y sigue a extrañas que soy israelí. Que fui al ejército y aprendí español y me creo que tengo tierra porque la defiendo y porque estuve errando años en el desierto y eso me hace ser dueña de algo.

—Yo también soy judío, mira, un judío de New York. ¿Qué raro no? —*ay ese hombre beige que es tan irónico*—. ¿Hay muchos judíos en Ecuador?

—Súper judío lo tuyo, casarte con una turca —tomé de mi café, me quemé la lengua, Robert lo notó y estoy segura de que me puse roja. No sé que hacen con el agua pero es imposible que se enfríe. Si le quito la tapa se me va a regar.

—También es judía; sefardí, claro, mucho más religiosa que yo —Robert lo dijo con una seguridad extrema de que eso iba a llamar mi atención—. En Pesaj no se puede ni comer arroz, ¿puedes creer eso?

Yo me imagino a Robert sentado en una mesa con la *wife*, la madre y las hermanas. Él, *ashkenazi*, oficiando el *Séder*, y ellas corrigiéndolo porque todo es diferente en una mesa de sefaradíes. Pero él es el único hombre en la mesa.

—¿Y es de Estambul? —se me ocurre preguntar como para enseñarle que algo de geografía sí sé, mientras soplo por el huequito de la tapa a pesar de que no conseguiré enfriarlo así.

—Sí, amo Estambul, creo que fue por Estambul que me casé con ella. Me enamoré de la idea de algún día ir a vivir allá. Pero, soy *contractor* en Staten Island. ¿Tú visitas seguido Ecuador?

Visitar seguido, una aseveración también *beige*, como el cuello de Robert que sobresale de la camisa a cuadros, ese que gira para sostener la mirada en las cosas que sólo a él le interesan.

—No he ido desde que vine a vivir a Estados Unidos.

Visitar es un verbo feo porque implica irse. Quedarse un tiempo. Mientras lo pienso, recuerdo a mi hermano Arón poniéndose los *tefilim* con el jefe, enrolla que enrolla, la cajita en el brazo que llegue hasta el corazón.

Después de mi respuesta, creo que Robert eligió el silencio, y fue una buena decisión porque lo disfruté y quería más y me dediqué a oler su pantano de agua dulce y vegetación profunda. Doblábamos en la esquina juntos, yo tomaba mi café, él comía su *bagel*, estábamos a una cuadra de la estación. Ninguno de los dos quería llegar. Yo recordaba a Arón, y Robert no sé a quien recordaba, quizá a su *wife*, flaca y asoleada, con olor a nardos emanando de su pelo.

Falta media cuadra, los pies bien plantados en el asfalto como escalando montañas. Los dedos hacia adentro, encogidos. Cuando llegamos a Kingston Avenue, abracé a Robert y le pregunté si vendría mañana y no lo quise soltar por un buen tiempo, toqué su cuello *beige* por fuera de la camisa. Él me apretó y me dijo que mañana vendría la mamá de Perin. Te veo en dos semanas y caminó por el túnel.

9. NOMBRAR

Hoy te despiertas tarde. Desde que somos familia seccionada, los fines de semana que te tocan conmigo, dormimos juntas. Cuando abres los ojos yo escucho los párpados separarse como aletas de peces tocando el agua. Vaporosos. Te chupas el dedo con tu *security blanket*, yo intento que tu mirada se asiente en la mía, pero todavía no estás lo suficientemente despierta. Tienes el pelo en un moño duermes así para que los rulos no se te posen en la cara y te incomoden. Te acaricio la frente, arriba, donde nace el pelo. Sudas a pesar de que estamos a mediados de otoño. Tu piel es dulce y me tranquiliza.

Digo, hoy vamos al parque. Estiras tus brazos y piernas como si fueras un elástico, goma de pelo, creces unos dos centímetros y la camiseta se sube mostrando tu pequeño ombligo. Dices, *where, to the playground?* Te bajo la camiseta, te doy besos en el cuello, en la mejilla y en la frente. Ríes a carcajadas y abres bien los ojos a pesar de tenerlos todavía espesos. Digo, no, hoy vamos al parque grande. Te das vuelta y abrazas el *security blanket*, lo mueves, te lo pones en la boca. Lo llamas *shups*. No he podido sacártelo ni que dejes de chuparte el dedo en estos cinco años. Dices, *I wanna go to the playground*, mamá.

Yo quiero ir al parque porque necesito pasto, quiero sacarme los zapatos, plantar bien los pies y que la hierba entre por mis agujeros, ser verde en medio de este concreto. Digo, podemos comprar *pretzels*. Tú sigues dada vuelta, pero te mueves, te ensanchas, giras las muñecas y los pies, te tocas el moño, tu dedo fuera de la boca está arrugado y húmedo. Dices, *they sell pretzels at the playground*.

Esa plaza es una farsa, piso de espuma flex, toboganes plásticos, escaleras chinas tan bajas que no hay chance de caerse, columpios con cinturones de seguridad. No hay tierra ni suelo donde plantar bien los pies, los niños tan limpios y tan controlados. Miento, yo me iba al parque todo el tiempo con mi mamá cuando era chiquita, ¿sabías? Estos días has estado interesada en mamá la niña. Me has preguntado si de pequeña tenía una CryBaby, si me gustaba el helado, que cuántas amigas tenía, si mamá me hacía la trenza de Ana, a qué jugaba, el nombre de mi mejor amiga, si había *bubble gum* en Quito. Dices, *granny is really old*. Te sientas y tocas los dedos de tus pies, cantas una canción que no reconozco, seguro te la enseñaron en el kínder. Tu pijama tiene un unicornio en el centro, es rosa con estrellas blancas, *sweet dreams* en manuscrita. Digo, por qué le dices *granny*, Lola, tú sabes que le decimos *Oma*.

Te levantas y caminas a tu cuarto, vuelves con tu CryBaby, le has puesto de nombre Tiffany. La tiras en la cama, le cantas aaaa, aaaa, mientras le acaricias la nariz. Le dices que se duerma. Dices, *is* oma *gonna die soon?* No la conoces en persona. Si nosotras fuéramos, quizá nos podríamos quedar, ser más forrajes verdes fundidos en las montañas y no estos pies que pisan cemento, que toman subtes llenos de gente para llegar a un parque grande sin espuma flex. Digo, no, Lola, la *oma* no se va a morir, por qué dices eso. Te vas a traer otra ropa para la CryBaby, la cambias y le das el biberón. Pronto vas a presionar el botón y le van a salir lágrimas a esa muñeca. Va a hacer ruidos insoportables y la vas a consolar y luego se le van a acabar las lágrimas y te tocará darle más biberón. Gran ciencia. Dices, *when old people die, they become really, really small, like a ladybug,* y luego se convierten en *babies,* mamá. Te miro, estás ocupada jugando, cargas la muñeca, la paseas por el cuarto.

Digo, no sé, Lola, no sé qué pasará cuando la gente se muere.

Digo, la *oma* todavía no se va a morir.

Digo, tendríamos que ir a verla, no dejarla sola ahora.

Digo, en realidad no fui a muchos parques, Lola, pero sí a montañas.

Digo, te van a gustar las montañas, podemos caminar hacia arriba, enterrar las manos en la tierra para sostenernos e impulsarnos.

Digo, hay unas plantas que te voy a enseñar. Cuando pasaba por ellas me dejaban pinchos cafés por toda la ropa, yo los tenía que sacar con cuidado, uno por uno.

Digo, te va a gustar, mi amor.

Digo, podemos ir pronto, empacar maletas, llevar pocas cosas y quedarnos.

Digo, te voy a hacer probar la chirimoya, mi fruta preferida. Es dulce, se deshace en la boca. Hay que tener cuidado con las pepas porque son pequeñas y resbalan.

Digo, te voy a enseñar los arupos y los capulíes. También las buganvillas que crecen rosas, tu color favorito, y fucsias.

Digo, vas a conocer a la *oma,* al fin.

Digo, vas a conocer al tío Arón.

Digo, te pueden enseñar a jugar fútbol, si quieres.

Ahí frunces tu cara con desaprobación, tiras a la muñeca en la cama.

Dices, *I need to pee,* mamá.

10. MAGNOLIA

Hacía cuatro meses que Pumi había llegado a Nueva York cuando, volviendo a su casa de Piacere, un constructor que cargaba una viga en la West 57 se dio la vuelta para decirle algo a su compañero, y le pegó con la viga en la cara. El filo le traspasó la mejilla, garras de león, anzuelos encajados en la piel. Clavos que hicieron pozos diminutos pero hondos, hasta llegar al hueso del pómulo. El listón tenía garras, uñas que escarbaron la piel de Pumi sacando coágulos de sangre que caían justo ahí, en la 57. Algunos turistas tomaron fotos y se fueron, otros sacaron videos, el constructor agarrando a Pumi que había caído desmayada en el piso, gritaba *jesus fucking christ, fuck me mother fucker, I'm a prick, call an ambulance, do you speak English? can you hear me?, mother fucker, what the fuck where you doing fucking Asian couldn't you look in front of you, fuck me fuck me...*

La veo sentada en un banco en Tompkins Square Park, es su mejilla derecha, la puedo ver desde donde camino: tiene marcas blancas, son como arroyos profundos cubiertos por piel regenerada. Desembocan en la orilla de su ojo, los gringos piensan que es eczema, para ellos todo es eczema. Pumi tiene 45 años, se ha hecho varias cirugías para quitar las marcas, pero lo único que ha conseguido es que su constitución se deforme y los labios se agranden. Ella se los pinta de rojo. Siente que es su deber volver a Bangkok para cuidar a sus padres. La hija soltera tiene que cuidar a sus padres. Ha vivido en Nueva York 15 años, de Piacere se cambió a Nobu y era una de las mejores meseras. Ahí ganaba muy bien, sobre todo en propinas, pero está endeudada con las tarjetas, y no sabe cómo irse sin pagar a pesar de que está segura de que nunca más va a volver.

Se levanta al verme llegar, es muy bajita, tiene los brazos gordos que no combinan con el resto de su cuerpo que es más bien menudo. Cuando habla se le mueve la piel de los brazos como si fuese una viejita, tal vez por eso no gesticula tanto y más bien deja las manos encima de sus muslos. Yo no quiero que se vaya pero ella está empeñada en hacerlo, ha convocado este encuentro para vernos más, quiere ya comprar los *tickets*, para el 21 de junio quiere viajar, justo cuando empieza el solsticio de verano. Pumi se come las uñas casi hasta el tope de sus dedos, a veces sangra y se siente un poco más monstruo de lo que se considera diariamente.

En el camino acá he recogido del suelo una magnolia, algunos de sus pétalos están roídos, es una flor en la que no puedo alojarme completamente, quizá porque no es parte de mi niñez. Lo único que hace la flor es recordarme a la película. Después de abrazarle, le entrego la flor, se la pongo en una oreja y ella sonríe y los labios se le hinchan. Me cuenta que le ha tocado endeudarse más porque quería ya comprar los *tickets*, y lo hizo. Yo le quiero responder que no se vaya, que no me deje, que me ayude a irme también, pero no puedo porque veo los pozos de su cara y no entiendo cómo alguien puede quedarse en un país que te da tantas trompadas. Así que digo que si no piensa volver para qué tiene que pagar y ella me mira porque no entiende cómo irse sin pagar. Ya ha renunciado a Nobu y tiene que organizar todo, quiere vender sus muebles para tener más plata allá, y vender su bicicleta. No le va a servir en Bangkok, dice, las cosas son diferentes allá. También se despidió de Rudy, un mesero de Nobu, ecuatoriano como yo y casado, con el que ha tenido una relación por más de cinco años. A mí me consultaba todo el tiempo cosas del país, como si se viera en Manta, en un departamento con balcón inmenso frente a la playa, sus padres muertos o no sé, pero en ese sueño no tenía que volver a Bangkok a cuidarlos. Yo no podía contestarle porque soy de la sierra y no sé mucho de un hombre que es de Manta pero vino a vivir a New York al año y medio, ni tampoco de cómo puede ser la vida frente a la bestia que es el mar. Sí le contaba cosas de la comida, cebiches y patacones, que el arroz es el más delicioso del mundo porque es con aceite, y entonces ella buscaba en internet y preparaba cosas para él, lo quería sorprender, pero el arroz no le salía así sin pegotes y blando, se negaba a añadirle aceite y ajo y un poco de cebolla. Él la veía en las madrugadas saliendo del restaurante en el departamento de ella, que el lunes devuelve.

Tengo que regresar, me dice como pidiéndome disculpas, no puedo perder mi cara, o lo que queda de mi cara, y cuando dice eso yo trato de sostener su mano pero ella se hace a un lado y me dice que le perdone pero que sabe que a mí me está yendo muy bien en mi trabajo con Macarena y que nunca haría esto si no fuera porque realmente lo necesita, pero que no quiere perder su cara, vuelve a repetirlo, y que necesita que yo le preste dinero para pagar sus tarjetas y llevarles algo a sus padres, que es su deber, que ella es la hija más joven, y a pesar de haber vivido 15 años acá ella tiene que hacerlo.

De su cuello cuelga una cadena finita con un amuleto que se ha dado vuelta. Yo ya lo he visto antes, siempre lo usa. Sé que es un buda sentado en postura de meditación. La escucho y miro el colgante, justo en la mitad de sus clavículas que son muy puntiagudas. Pienso que tiene coraje y me comparo, y entiendo que a mí me falta y que quizá sólo divago todo el tiempo con la posibilidad de irme pero que no lo voy a hacer. Voy a quedarme en este país de gente que usa el *First Ammendment* para demostrar su libertad. Una libertad triste y patética a la que no le quitan las cortinas por las mañanas para que entre la luz solar. La libertad desde adentro de ese departamento.

Pumi está haciendo cuentas, explicándome cuánto es o qué necesita, y dándome detalles exactos de lo que va a hacer con el dinero, facturas anticipadas. La frente hacia abajo, hacia sus manos pegadas en los muslos, los hoyos de su cara que se mueven. No sé si por sus brazos gordos o su cara deformada, que múltiples veces recibió propuestas para prostituirse en el medio de la ciudad. Los hombres gringos creen que las mujeres asiáticas gordas o con problemas son prostitutas, y no tienen ningún lío en preguntarlo. Incluso una mujer china que vivía cerca de su casa en la 37 le ofreció, era bastante plata, y le daba posada en uno de los departamentos. Pumi nunca demostró sentirse ofendida, por lo menos no me lo demostró a mí. Así con la cabeza hacia abajo, el collar como un péndulo, el amuleto ya dado la vuelta y el buda con la cara hacia el árbol, Pumi manifiesta un monto. Yo le digo que sí y que si no tengo lo suficiente se lo consigo, y lloro a chorros, pedazos de líquido que me mojan completa, ranas caen de mis ojos como en Magnolia.

Agua a chorros por Pumi y la viga que la maltrató a su llegada.
Por las putas, por las que reclutan prostitutas,
lo triste de una ventana con las cortinas cerradas.
Por mí, por Adrià y por Lola,
por la culpa que siento de que crezca sin montañas ni mangos,

chirimoyas, grosellas, ovos.
Sin capulíes, sólo con las magnolias
tan ajenas a mí.

Hay gente cercana que se va y yo me sigo quedando. Tranquila, Pumi, le digo, yo te presto la plata, y casi lo enuncio pero sólo lo pienso: recuperarás tu cara.

11. MUERTE

Te duele la pancita hoy, Lola. Mueves tu mano por donde atraviesa el dolor para enseñarme y frunces la cara. Estás acostada en tu cama, tienes los ojos aguados. Yo froto aceite de eucalipto cerca de tu ombligo para calmarte y dices que te quema un poco, y te encoges con las piernas. Sé que tu dolor de panza se relaciona con el miedo. Me has preguntado varias veces esta semana sobre la muerte, aunque sabes que no tengo las respuestas. Es aterrador para un hijo darse cuenta de que su madre no sabe qué pasa después de esta vida.

Cómo te explico de la muerte, Lola, cómo me explicas a mí de la vida. Una luz inmediata y fugaz que se nos otorga. Quizá la desubicación tiene que ver con nuestro nacimiento. Así encogida me dices que tus amiguitas del jardín siempre están con sus abuelas, y que tú no conoces a las tuyas. Luego me pides que te traiga tu muñeca de sirena. Lo hago, intentas jugar pero el dolor es intenso así que cierras los ojos y te pones como estuviste en mi panza, aunque yo te relaciono más con una coma, Lola. Esa línea arqueadita que se emplea para separar elementos dentro de la oración. Las dos somos un inciso, logras desviarme del mundo en el que no encajo. Mis raíces sólo pueden plantarse en ti.

Me preguntas por qué la *omi* no ha venido a conocerte, que quieres que conozca a tu vaquita, tus sirenas. Amas las sirenas. Te quiero contestar que está vieja y no puede pero no sé si es del todo cierto y no me gusta mentirte. No sé porqué la *omi* no viene, Lola. Arón podría pagar, hace tiempo que ya no me pide dinero, que ya no necesitan que yo esté acá. Ya no soy útil, podrían devolverme, sólo que ahora estoy en plural.

Hubo un tiempo en el que sí que no podía venir, había empeorado desde el accidente. Fue justo cuando yo cargaba el sobre conmigo a todo lado, el que no me hubiese dejado salir si ella se moría. Un sobre con los papeles que decían que algo heredaba de la abuela Hannah: el permiso de estar acá. Un permiso para estar pero no para salir hasta que comprobaran algo, no sé muy bien qué, en mi ascendencia, para el visto bueno final.

Sólo a la distancia una piensa en esas cosas o se siente culpable por la posibilidad de no llegar a ver el cuerpo blanco y tieso de la madre. Cosas ridículas como tener que estar con un cuerpo blanco y tieso, tener que ponerlo dentro de un hoyo. Enterrar.

Yo cargué el sobre tan fuerte que me dolía la mano, y saqué los papeles infinitas veces para que señores con uniformes los ojearan de arriba abajo y me repasen, creo, intentando distinguir el tono de mi piel que no concordaba con nada, y se demoraban de más por eso, y a veces llegaba tarde al trabajo o perdía minutos de estar contigo.

Mamá estaba muy mal en ese tiempo y yo sólo pensaba que no iba a llegar para poner mi piedra cuando ya el hoyo estuviese completo de tierra, rasgarme las vestiduras, tapar cuadros y sentarme en la sillita esa donde uno se sienta cuando alguien se muere para hacer *Shiv'ah*. Tenía sueños de que me escapaba de esos hombres tan blancos que revisaron el sobre, yo una coyote contigo en mis brazos como en una película de acción, la ICE persiguiéndonos. Pero lograba subir a un avión y llegábamos a tiempo para recitar el Kadish del Doliente, ya no para abrazar a la *oma*, ni despedirse, ni perdonarla por todo eso que las hijas tenemos que perdonar a las madres antes de sus muertes para tratar de seguir la vida en paz.

Sé de esos rituales sólo porque recuerdo, como si fuese ayer, cuando murió el abuelo Ernesto. Yo era pequeña, pero aun así tuve que ir al entierro y a los siete días de rezos subsiguientes. Nunca compré una sábana de color blanco porque esas son las que vi al entrar a su casa donde se hacían los rezos. Cubrían los cuadros y espejos como leche regada, dispuesta para acentuar el dolor. Una casa donde las pertenencias se resguardan no es una casa. Al entrar mamá lloró descontrolada, la abuela Hannah, sentada en *Shiv'ah*, ni se inmutó, tampoco le dio siquiera un abrazo. A los niños nos dejaron en un cuarto y nos prohibieron volver a salir.

Te tocas la panza, haces circulitos con tus dedos alrededor de tu ombligo y dices *my* pupo *hurts*, mami. *Pupo* es una de las pocas palabras que enuncias en un español parecido al mío, y cuando te oigo se me remueve el suelo como si mi cuerpo fuera arado para poder sembrar en él. En inglés la palabra hace referencia a un botón, y es complicada de pronunciar. Me pregunto qué pasaría si realmente presionáramos ese botón, si nos diésemos cuenta de que en nuestro linaje el cordón que nos atraviesa no tiene lugar, estamos en el aire. Ahora te hago masajes en los pies, toco los puntos que pueden apaciguar el dolor de la pancita. Tu cordón umbilical lo enterramos con Adrià debajo de un árbol en el Central Park. Lo trasladamos ahí apenas se te cayó, a los tres días del parto, yo todavía sangraba mucho, recuerdo mi ropa manchada, el calzón mojado de puerperio. Encontramos el árbol con el tronco más ancho, con un círculo que habían hecho al tope sus raíces que giraban casi media cuadra. Sospeché esas raíces tan largas que daban la vuelta la tierra, subían al cielo y volvían a bajar. Adrià llevaba el cordón en una jarrita con agua y lo sostenía con mucho cuidado. Tú ibas prendida a mi teta enrollada en una manta, dormías y cuando despertabas era para succionar, estabas calientita. Nos sentamos debajo del árbol que daba una sombra oscura, a pesar de que era mediodía, sentíamos presenciar el crepúsculo. Aunque fue mi idea lo de enterrar el cordón, Adrià parecía saber muy bien qué hacer, o lo sintió. Quizá estaba hipnotizado y también puérpero. Adrià le agradeció a la tierra, colocó la jarrita en el suelo como si fuese un gorrión y tocó la hierba, agradeció por tu vida y también por la mía. Te besó en la cabecita mientras tu succionabas, y con sus manos cavó un hueco muy pequeño, yo regué el agua de la jarra y puse el cordón umbilical en ese hoyo. Adrià lo tapó, volvió a besarte en la cabeza y a mí me sostuvo las manos, y yo sangraba. Pensé que tu cordón debía ya estar bajando por las raíces hasta llegar al cielo y volver a bajar. También pensé que eso sellaba un acuerdo de imposible separación entre nosotros.

Ahora lloras del dolor y es un sonido tan punzante que me atraviesa toda, y me produce escalofríos. Me acuesto a tu lado y no dejo de masajear tu abdomen, tus piernitas. Poco a poco te vas calmando y cierras los ojos. Duermes y te observo.

Orejita escondida por tus pelos amarillos y flácidos que caen desde tu cabeza.
Orilla de ojos como trazos de un pincel delgado.
Agujeros de nariz encima de la boca abierta
que hace ruido de aire entrando profundo.
Cuello con rollos blandos de piel.
Pecho contenedor de todo lo que soy.
Panza.
Pubis, piernas. Rodillas estiradas.
Pies cerrados en una v al revés, una casa.

Al fin te has quedado profundamente dormida, te cobijo y me levanto a preparar un té. Será de orégano, que calma la barriga y el miedo, y huele a pastizales, haciendas que rodean montañas donde tuve que haber enterrado tu cordón umbilical. Revuelvo el té con una pala de madera, se forman ciclones en el agua, el movimiento es el de las ruedas del tren. Apenas aprobaron el sobre, y me dijeron que podía salir del *tri–state area*, tomé un Amtrak y mamá empezó a mejorar.

12. ALBERT PLA

Lola tiene un show musical hoy y yo llego más temprano para buscar un puesto adelante. Sí, en esa clase de madre me he convertido. Me sorprende ver a Adrià, también temprano, sentado en la vereda afuera de la escuela, armándose un cigarrillo: el cartón se apoya en una rodilla y él está concentrado poniendo el tabaco en el papel, así que no me ve. Esa postura hace que el pantalón de su terno se vea ajustado y la chaqueta se abra. Tiene una camisa celeste ceñida al cuerpo, el viento es fuerte y mueve su pelo. Yo me paro a una distancia y lo observo. Cuando termina de armarlo se lo mete entremedio de los labios, absorbe y aprieta fuerte el dedo índice y gordo para sacárselo. Expulsa el humo, y ese expulsar me desaloja. Alza la mirada y cuando me ve sonríe, has llegado temprano, afirma, y vuelve a meter el cigarrillo y apretar los dedos, vuelve a expulsar, y siento que es a mí a quien expulsa.

—Lo raro es que tú estés temprano. ¿Te fugaste del banco?

Mueve la cabeza en negación, se mira los zapatos, fuma varias veces y luego aplasta el cigarrillo en el piso. Espera un buen rato para contestarme:

—No necesito *fer campana* para ver a mi hija, Sara.

—Antes nunca te dejaban salir, o eso decías —esas palabras también son expulsadas de mi boca como sin querer, y apenas las escucho me arrepiento.

No me contesta, se arma otro cigarrillo y es como si se metiera en un ritual que le permite distanciarse de los ruidos: de las sirenas de bomberos, de los *homeless* hablando solos, las bocinas, dientes que mastican a cada rato un *snack* o algo, la gente está comiendo todo el tiempo acá, pelotas que rebotan en las canchas de básquet, vasos, lavaplatos, lavarropas, llantos, gritos.

—Sí que hemos llegado temprano —me dice mirando el reloj que se ve raro con el resto de su atuendo. Es un Casio como los que se usaban en los noventa. Tiene calculadora y es de plástico negro.

—Falta media hora, vinimos demasiado temprano, todavía ni nos van a dejar entrar —no sé si acercarme, no sé muy bien qué hacer. Me toco la nariz, me acomodo el vestido, el viento cada vez está más fuerte y lo revuelve. Seguro estoy desprolija comparada a él, y eso que él está despatarrado ahí en la vereda.

Tiene un lunar negro en el tope de la frente, es más grande de lo que se ve. Yo lo he sentido entero, me gustaba jugar con su pelo como un monito aferrado, un bebé con rezagos ancestrales: se dice que a los bebés humanos les encanta jalar el cabello por instinto, nostalgia, quizá, de cuando éramos simios.

Algunas mañanas recorría con las yemas de los dedos su cara y llegaba a la frente, tocaba el lunar. Este hombre con el que no sé ni de qué hablar ahora, dormía en mi cama, en nuestra cama, se alegraba con mi roce, mi sonido en este mundo.

—Perdón —le digo ahí parada—. Por el comentario de antes.

—No pasa nada. ¿Quieres sentarte? —me señala la vereda como si fuera la sala de su casa. Yo me sostengo el vestido y me siento, pienso que debí escoger un pantalón para este día tan ventoso.

Adrià huele a sal: en la tabla periódica NaCl —cuando está en estado sólido sus átomos se acomodan en una unión. Ahora Adrià me recuerda a la tabla periódica que memoricé a los once años para mi clase de química. No me gustaba la materia, pero cuando papá llegaba *high* yo me metía en el cuarto que compartía con mi hermano y la recitaba en voz altísima: H, Li, Na, K, Rb, Cs, Fr. ¡Cállate!, me gritaba Arón. Be, Mg, Ca, Sr, Ba, Ra. Hay un sonido de esa época que me atemoriza todavía: vidrios rotos cayendo al suelo. Sc, Y La, Ac: mi hermano se pone los audífonos, papá grita que ella no sabe tirar bien, es frígida, es una judía de mierda. Insulta también su pelo, sus ojos y los rollos de gordura. El vaso estampado contra la pared se escucha en la habitación, inclusive cuando recito los elementos de la tabla periódica lo más alto que puedo. A ella no la escucho.

Pero Adrià huele a la sal que me gusta, a esa que le pongo a las cosas ácidas para chupármelas: limón, mango, grosellas, ovos. Alrededor del vaso de michelada, salivo. Es esa sal en abundancia, la que se regala para entrar en una casa nueva, la que se cotizaba alto en la antigüedad.

—¿Y qué hay de nuevo, cómo has estado, qué tal el trabajo? —son muchas preguntas las que le hago, casi sin espacio la una de la otra, porque no tengo ganas de sentarme a su lado sin decir nada. Él no parece tener problema con el silencio entre nosotros porque lo único que hace es aspirar y expulsar, y luego pone música en su teléfono y sube el volumen para que podamos oír los dos. Se escucha mal así que acerco el teléfono a mi oído y él está marcando el compás de la música con la misma mano que sujeta el cigarrillo.

—No sabía que volviste a escuchar a este sujeto —le digo, y trato de percibir las letras que siempre me parecieron tan raras y lejanas. Nunca lo entendí del todo. Quizá nunca comprendí del todo al mismo Adrià.

Observa mis piernas achicando los ojos como si fueran bocas masticando, engulléndome entera. Mi vestido se ha subido hasta arriba, estoy mostrando una tira del calzón rosado que me puse hoy—. Se llama Albert Pla, el «sujeto», —me baja el vestido para cubrirme como si sólo él pudiera mirar ese calzón torta de cumpleaños infantil.

Recién conocidos, intentamos ubicar al otro en un mapa, hacer una cartografía. Suponer las calles por las que transitó cada uno, qué buses tomamos para ir a una escuela. Colegio con patio o edificio. Dónde se compraban las golosinas o se jugaban a las canicas. Él me contó que viajó una vez a Perú con sus amigos y de ahí se tomaron un bus a Montañita. Eso era lo que conocía de Ecuador. Montañita no se parece en nada al resto de Ecuador, o algo así le dije. Pues yo flipé con Montañita, o algo así me dijo. Cuando subí a su departamento supe inmediatamente que era melómano, tenía discos hasta en el baño, en los estantes de la cocina, encima de su escritorio. Si tenías tantos *LP* por qué no te alquilaste otra cosa que no fuera un *studio apartment*, o algo así le dije. Con qué dinero, tía, algo así me contestó. Luego puso David Bowie, se sentó en su cama y se armó un chafo. Me preguntó sarcástico si se escucha en Ecuador o si sólo escuchamos a Shakira. Fumando así me fascinó, me monté encima de él, le quité el chafo, fumé y le dije que Shakira es colombiana. Él me agarró fuerte de la cintura, pasó sus manos por mis piernas y me las abrió más, sentí su lengua como un cúmulo de especias alrededor de mi boca. Está con un catalán, como tú, me dijo y me quitó el chafo. Me bajé de sus piernas y fui a subir el volumen, *Changes* siempre fue una de mis canciones favoritas. Puedes ser mi Shakira, me dijo matándose de la risa y luego *dónde estás corazón, ayer te busqué,* y después dijo que ese porro lo enrolló, que sólo por eso canta Shakira. Cállate le dije, estás arruinando a David Bowie. Él se recostó en su cama y desde ahí cambió la música. Puso Albert Pla, yo intenté escuchar qué decía esa voz tan rara pero no pude porque Adrià me quitó la ropa, me lamió toda, y yo a él, y sólo pude ubicarlo en mi cuerpo nunca en un mapa.

—Cierto, Albert Pla, antes lo escuchabas todo el tiempo.

—Lo dejé desde que inicié en el banco.

—¿No tienes tiempo ni para escuchar música o qué?

— Es que no compaginan, sabes.

—Pero ahora sigues trabajando en el banco, Adrià, ¿ya no importa que no compaginen o qué?

Él me mira con ojos surcados por líneas diminutas y rojas, y se demora en contestar. Arma su último cigarrillo, quedan diez minutos para que empiece el show de Lola. Le ha salido una cana que brilla y me atrae.

—Echo de menos, Sara. También echo de menos.

Yo paso un dedo por su cana y le acaricio la mejilla, él cierra los ojos, el cigarrillo se consume entre sus dedos. Lo aplasta contra la calle, aleja su cara y se levanta.

—Entremos, ¿vale?

—Sí, claro —me tapo bien con el vestido. El calzón torta de cumpleaños no es suyo. Me levanto y camino delante de él hacia la puerta del colegio de nuestra niña.

13. BOOGERS

My boogies taste so good, mamá, dices después de sacarte un moco, hacerle bolita con los dedos índice y pulgar y metértelo a la boca. Vamos caminando a casa de una amiga de tu escuela, Anna. Es una *pool party,* así lo dijiste mientras sacabas tu traje de baño, un bikini miniatura de sandías con ojos y pepas gigantes. *I love to swim,* gritabas y te alistaste muy rápido. También caminas rápido, no puedes esperar a ver a Anna y saltar al agua. No me das la mano, dices que ya sabes cruzar la calle pero yo me aseguro de que estés cerca de mí. Te agarro por el vestido que te pusiste encima del bikini, ¿qué asco, Lola, cómo te puedes comer los mocos así?

Hace mucho calor y mientras caminas te acomodas el cerquillo hacia un lado a cada rato, te lo quieres quitar de los ojos, te ha crecido mucho. Tu pelo es como el mío, finito y delgado, pelusas que sobrevuelan la cabeza, plumas de un pollo pequeño recién nacido. Te gusta tenerlo suelto, Adrià te hizo ese cerquillo que bordea la frente e ilumina tus ojos haciéndoles ver turquesas. Ya no azules arándanos o púrpuras, suelen tomar tonos cambiantes. Las pestañas se te pegan cuando despiertas, amaneces siempre con lagañas, y tu cerquillo como plumas de pollo mojado, fibras delgadas. *I love el*

papa's flequillo, dijiste el día que volvieron de su casa, el día que
él te cortó el pelo como lo ha hecho desde que naciste, los dos
con helado de cono de chocolate, tu pegada a su brazo que es
tan ancho y corpulento, distinto a nuestros pelos.

Saltas, los dedos de tus pies se escapan por las sandalias
amarillas, los tienes gorditos y blancos. *Are they gonna give
us ice cream*, mamá? rebotas de la vereda a la calle, yo sostengo con fuerza tu vestido. No sé, Lola. Hace mucho calor,
seguro les darán algo frío. Tienes tu carita roja, algunos pelos
dorados se han desacomodado fuera de tu cola de caballo.
Pelos hojas de un libro que rozan las yemas de los dedos. Me
preocupa que hayas heredado el aire de nuestras ancestras.
Hannah también tenía esos pelos, el cuerpo atravesado por
el viento que determina la dirección o rumbo, la velocidad.
Hannah expulsada dos veces, una hacia el barco que la trajo
hasta acá, olas inmensas. El viento lo determina todo, decide
lo que hace el mar. Hannah nunca pudo amar a mi madre,
tampoco a la tía Lea. Es duro ser hija de alguien que no fue
amado. La segunda, cuando la llevaron a Ecuador, primera
vez en un avión, racha de viento afectando el despegue, ale-
jándole del hijo que quizá sí amó.

Las puertas del *townhouse* están abiertas, han pegado globos naranjas y blancos con *scotch*, también dibujos de peces
y sirenas. Tenemos que pasar la sala, comedor y cocina para
llegar a un patio de cemento rodeado de plantas en macetas
y pequeñas sillas reposeras. Hay una piscina Intex gigante
en medio del patio, tan llena de agua que rebalsa hacia fuera.
Anna sale apenas te ve, está empapada cuando te abraza y
te moja el vestido. *I wanna go to the pool*, mamá; claro, Lola,
pero ven un rato. Te saco el vestido y te acomodo el pequeño
sostén del bikini que se te ha subido por encima de las teti-
tas. Corres hacia tu amiga que ya está de vuelta en la piscina,
pero antes de saltar al agua en bomba te sacas la parte de

arriba y la tiras al piso. Yo me siento en una reposera, sola, exprimo tu vestido.

La madre de Anna viene corriendo a saludarme. Lleva unos *shorts* de *jean* cortos, la mitad de sus nalgas flácidas se fugan y están a la vista. Tiene el pelo pintado de rubio con mechas muy claras, se ha maquillado la cara con tonos rosas y fucsias, y carga una bandeja con limonadas y una botella que dice Skinnygirl Margarita. Querida, me dice en inglés, amo ver a Lola, es tan libre, bueno, qué se podía esperar, es hija de un español. Imagino que le ha llamado la atención, como a algunas de las otras mamás que te miran, que te hayas sacado la parte de arriba del traje. Sienten pudor o alguna cosa extraña, no lo sé bien. Luego me sigue contando, sin parar, de la vez que viajó a Marbella, mientras lo dice trata de pronunciar bien la ll pero dice l en vez, y que todas iban *topless* porque las españolas van *topless*, que quisiera que Anna fuese tan libre como tú. Y pienso que se le olvida que también eres ecuatoriana, pero seguramente eso no le parece tan interesante. Y miro sus botas y son esas texanas que me hacen acuerdo a cuando llegué a Dallas, empujando la silla de ruedas de mamá, en su coronilla un pequeño hueco sin pelos que dejaba ver la piel de la cabeza blanca, un lunar en el medio.

Aun no ha terminado de hablar pero yo ya no la escucho, prefiero verte a ti, Lola, nadando dentro de la piscina, ahora intentas darte trampolines por debajo del agua. Siempre te has metido al agua *llucha,* cuerpito perfecto, elástico de niña. La madre de Anna me deja un vaso del Skinnygirl Margarita en la reposera y se va a saludar a otros que han llegado, me doy vuelta hacia sus botas alejándose. En Dallas, Lea y Katya prometieron que tenían un trabajo para mí. Apenas mamá se volviera a Ecuador después de cinco días de quedarse en Dallas para ser interrogada, que le preguntaran de todo como a un ser extravagante, yo empezaría de secretaria de un gran señor empresario que ellas conocían. Pasaron varias semanas hasta que una noche que Katya volvió borracha del bar de la esquina, me dijo que no tenían trabajo para mí, que nunca lo tuvieron.

Sales de la piscina, tus labios se han puesto violetas del frío y estás tiritando. Te seco el cuerpo, te envuelvo con la toalla y te abrazo. Apoyas tu cabeza en mi pecho y me mojas. Siento tu mejilla, toda tu piel, el agua de tu cuerpo es un agua que calma. Te aseguras de que nadie te vea y metes el pulgar a la boca. Succionas. La madre de otra niña se acerca a ofrecerme una camiseta seca de su hija. Siente vergüenza de verte las tetas, tal vez, o está segura de que yo no te he traído nada. Beso tu cuello, te respiro, y le digo que gracias, que sí tengo, ella se aleja a hablar con otras madres. Quisiera quedarme así contigo, pero Anna te llama gritando, sacas tu dedo y te quitas la toalla, vas corriendo adonde tu amiga. Ha traído una muñeca de su habitación para ti, es una American Girl. Se sientan en el cemento a jugar. La madre de Anna saca unas salchichitas con kétchup, agarras dos y te las metes a la boca, manchas la ropa de la muñeca de rojo.

Katya me consiguió un empleo en la peluquería de una amiga. Como no tenía experiencia en peinar o pintar las uñas, tenía que barrer los pelos del piso y ofrecer café. Cabellos en el blanco, robustos, que no quieren ser eliminados. Luego de un tiempo, la tía Lea vino a decirme que su hijo Jeff tenía un mejor trabajo para mí en Nueva York. Por supuesto que supe que estaba mintiendo pero igual decidí venir. No quería estar más en su casa ni en la peluquería en la que una de esas mañanas, mientras peinaban a una señora que vino con su hija de cinco años, de tu edad, Lola, me pidió que la llevase a la juguetería de en frente a comprarle una American Girl. Me dio ciento cincuenta dólares en efectivo, *just in case she wants some clothes for the dollie or something, dear.* En la juguetería, la niña escogió la muñeca más rubia de todas. La nombró Addy.

Un padre al verme sola se acerca. Carga a una bebé muy pequeñita en un canguro que se ha atado por adelante. Le avisa a su hija más grande, que está en la piscina, que sí la va a seguir mirando. ¿Eres la mamá de Lola?, pregunta y asiento con la cabeza. Y luego pregunta dónde está su *buddy* hoy día. No sé de qué me habla, no quiero que me hable. Adrià, me dice. Tomo de un sorbo el vaso de Skinnygirl Margarita. Es horrible. Hoy me toca a mí, le digo. La bebé del canguro se despierta y empieza a llorar. Él rebota para calmarla. La bebé grita, así que le prepara el biberón encima de mi reposera. Nunca te di una mamadera, Lola, así que no sé muy bien cómo ayudar a este hombre. El sonido del llanto es tan agudo y se mete por las membranas. El hombre necesita agua, creo que quiere que lo ayude pero yo no hago mucho. Deja su bolso en mi reposera, y se va en busca de agua mientras dice que no sabía que su *buddy* estaba separado.

Quieres meter a la muñeca a la piscina pero Anna no te deja. Empiezan a pelear y se acerca la madre de Anna. No peleen, les dice, yo les puedo traer las muñecas que sí se meten al agua. Se me acerca de nuevo, yo me he levantado de la reposera. Me ofrece unos nachos con guacamole y dice que esas muñecas no se pueden mojar. Son como esos juguetes europeos de madera, estoy segura de que sabes de lo que hablo. Son unas bellezas los juguetes que hacen allá, sonríe. Las American Girls son de plástico y no encuentro relación. Luego me pide que salude a Adrià, que es tan *charming*. Yo agarro un nacho con mucho guacamole y me lo meto en la boca.

Anna termina quitándote la muñeca y se va hacia su madre, quien conversa y brinda en un círculo que han formado entre otras mamás. Se ríen y hablan sobre lo cansado que es tener hijos. Una dice que su niñera le cuesta lo mismo que su renta. El padre del canguro le ha metido el biberón a su beba y toma cerveza con otro. No concibo a Adrià conversando con ellos, pero según él es su *buddy*, así que quizá sí.

Te me acercas. Ojos turquesa de nuevo, pelo dorado, cuerpo continente. Te pongo el vestido porque siento tu piel fría, te beso el cuello.

¿Vamos a casa Lola? Estás cansada y tiritando de nuevo, el agua te agota. Chupas tu dedo, cierras los ojos. A Anna, su madre le ha instado a jugar contigo, que fuera a divertirse, le ha dicho. Así que viene corriendo mientras te llama, pero no te levantas. *Can we go to el papa's house*, mamá?

14. LAS VACAS

En mis manos se ha quedado el olor a azahar de Adrià. Así aromáticas y herbáceas, a veces me da ganas de arrancármelas. También han aparecido más arrugas, son como pequeñas cunetas que suben hasta los dedos, desembocan en los nudillos. El tiempo de volver se está acortando, las articulaciones se atrofian, no podré llevar flores, hacer una canasta con las manos en una ofrenda a la tierra que me reciba de vuelta. *Recibir* es un verbo que la gente, a diferencia de la tierra, no sabe conjugar de lleno. La gente funciona mejor en lugares impropios, por cortos períodos de tiempo. Cuando vienen a Nueva York, la transitan de a poco, Broadway y Times Square, saben que van a volver a sus casas. Tienen casas con empleadas que limpian y cocinan a quienes pagan lo mismo que se gastan en un restaurante de Nueva York.

José María me llamó. No sé cómo consiguió mi número. Nunca se me ocurrió preguntarle.
Estoy en Nueva York.
No he hablado con José María desde que salimos del colegio y me fui.
Me mandaron de la empresa.

Es gerente. No sé muy bien de qué.

Me quedo hasta el jueves.

He visto la foto de su esposa con el pelo largo y planchado, rayitos amarillos.

Esta noche no tengo reuniones.

En la muñeca de la esposa un reloj Cartier gigante.

¿Nos juntamos? No te he visto hace años.

Me metí a mirar ese reloj en internet. Tiene un zafiro azul para mover las agujas.

De verdad me gustaría aprovechar que estoy acá.

Veo las fotos en Facebook: 4 hijos hombres, todos chiquitos. Juegan al futbol, se ponen camisetas de Messi.

Te invito al Eleven Madison Park.

Los 6 en una playa de arena blanca, agua traslúcida. ¡Anguilla!, *post* debajo de la foto. ¡Cancún!, ¡Barbados!, ¡Bahamas! (aclaración: Atlantis).

Tiene tres estrellas Michelin, por suerte conseguí reserva.

Entretienen invitados en su casa con metraje imposible de calcular, césped parecido a los de las canchas de golf, vajillas francesas, licores.

A las 9.

Cómo será José María fuera de la altura. Todo lo que aprendí de haciendas fue con él. Su familia tenía una en Cayambe, dos en Machachi y tres en San Pablo. A los compañeros nos invitaba a la de Cayambe. Repartía habitaciones y caballos para montar. Distribuía ordenes a sus empleados que bajaban la cabeza y se les movían los ponchos. Se cambiaba los zapatos de la capital. Las botas se llenaban de bosta cuando fueteaba a las vacas que miraban con ojos negros, bolas laqueadas. Durante el día cabalgábamos por tierras bien delimitadas con cercas de madera o alambres de púa. Separaban la hacienda de las casas pequeñas construidas a mano. Son tierras infinitas que los de las casas pequeñas no se atreven a traspasar a menos que trabajen en ellas.

En la noche los compañeros mantenían los sombreros, las mujeres se soltaban el pelo, *jeans* ajustados, camisas blancas metidas al pantalón. Botas de marca extranjera. Yo nunca me planché el pelo como ellas, pero tampoco lo tengo abultado o negro. No me hice rayitos ni tatuajes para delinearme los ojos. Yo no tenía plata pero seguía en el colegio a pesar de que la abuela Hannah ya se había muerto y no lo pagaba más. Arón se encargó el último año.

Nadie sabía encender el fuego, sólo los empleados. Nosotros: quiteños, mimados y patrones, quemábamos *marshmellows* en pinchos, como le habían enseñado hacer a José María en Culver. Ahora lo replicábamos. *Smores:* con Hershey's y galletas María. Nos servían canelazos. A mí me empalagaba la mezcla pero él me insistía que tomara. Los papis le dejaban las haciendas cuando se iban de viaje. El alcohol a bocanadas. Los empleados no alcanzaban a preparar lo suficientemente rápido, entonces también tomábamos *puntas*.

Bolas laqueadas: los ojos de las vacas son completamente negros. Áridos, como desiertos con arena oscura, sin fronteras ni límites. En los ojos de las vacas puedes perderte. Eso me pasaba mientras José María hacía lo suyo conmigo, porque nos apartábamos cerca de los corrales. Tampoco allí encontraba pertenencia pero la altura se me metía a los huesos, el soroche mareaba un poco y respiraba hedor a bosta y eucalipto.

Tengo que sacarme este olor a azahar, por eso dije que sí. Me pongo crema en las manos que están secas, intento cubrir las cunetas.

Uso un vestido turquesa con cuello escotado, sostén de encaje de flores. Tiras delgaditas que se muestran. Me pongo sombras negras en los ojos y un tono claro en los labios. Tomo un taxi, le pido que me lleve al restaurante, no sé muy bien dónde es, en mi vida pensé ir allí. El conductor pone el nombre en el mapa, conversa en hindú, pareciera que habla solo pero sé que tiene el audífono de su celular puesto en el oído. Grita. Abro la ventana y miro las luces.

Al llegar, entro por una puerta giratoria y es un lugar simétrico de azules y grises que se mezclan con marrones, apliques mínimos, sillas tapizadas alrededor de mesas rectangulares con manteles blancos. Los cubiertos brillan en un orden magistral. Hay candelabros colgando de los techos, el bar con botellas también brillantes.

José María se levanta al verme llegar, tiene un *blazer* negro y debajo una camisa gris, pantalón de tela en forma de tubo en las bastas. Un vaso de *whisky* con agua gasificada posa en la mesa. Me extiende los brazos y yo para saludarlo le doy dos besos, no sé por qué. El mesero viene a correrme la silla.

—¿Te españolizaste ya? —pregunta el hombre que toreaba en la plaza de su hacienda cuando ya se había tomado suficientes *puntas* y se ponía bien macho. Antes de sacar a los toros, los empleados se aseguraban de darles palizas con sacos de arena hasta desriñonarles y que casi no se puedan mantener de pie. No podían correr el riesgo de que picaran al patrón.

—¿Por lo de los dos besos, dices? Nada que ver. Adrià no saluda con dos besos.

—Adrià, así se llama el españolete, entonces. Tengo mis informantes de tu vida, pero no me cuentan tanto. Estás hermosa, qué lindo es verte —sonríe y sus dientes son grandes y rectos. Su piel siempre me gustó, es tostada sin sol y radiante. Tiene el pelo corto y castaño, en las patillas le han salido canas que le hacen ver distinguido. Es muy prolijo al tomarse el *whisky* y sacarse el blazer. Un señor viene a llevárselo, lo pone en un *closet*, vuelve y nos dice que alguien estará con nosotros en un minuto.

—¿Me llamaste para averiguar cómo se llama el papá de mi hija o qué? —escondo mis manos debajo de la mesa, se siente raro estar acá con él fuera del campo.

El mesero se acerca y lo primero que nos dice es que nos ha escuchado hablando, que si queremos puede pedir que nos atienda alguien que habla español. Yo pienso que sería buena idea, pero José María le contesta en un inglés casi de nativo y sin acento alguno, que no hay problema, que estamos bien así. Luego me pregunta si quiero espumante y el mesero le recomienda un francés, y le explica algo sobre el sabor mientras yo miro a José María que habla de los espumantes como si tuviera un viñedo, y hace preguntas sobre el menú y sobre la decoración, y habla del pueblo en Suiza que es el pueblo donde nació el chef.

José María pidió el menú de ocho pasos de los cuales sólo quise comer tres porque preferí tomarme la botella del espumante. Preguntó por mi madre, que le han dicho que está mejor, pregunté por sus padres, que ahora viven en la hacienda de San Pablo, me dijo, preguntó por Lola, seguro es una belleza como la madre, se pidió dos *whiskies* más porque no le dejé nada del espumante. Me enseñó fotos de sus hijos, acercó su silla, van al colegio que fuimos. Ese colegio de ricos donde la única pobre era yo, pensé. Un bajativo, me preguntó, ok, un *cointreau* me pidió, y uno para él. No volvió a mover la silla, me agarró una mano, hicimos chinchín. Me apoyé en su hombro, sigue oliendo a eucalipto, me inventé. La camisa es muy suave, por debajo de la manga un Cartier igual al de la esposa, versión de hombre. Vamos a un bar o a bailar, ¿quieres?, le llaman por teléfono, sale para hablar, miro al mesero, cuenta su propina. Hay aroma floral, ceroso, dulce, polvoriento, y cuando vuelve le digo que al bar de su hotel.

En el taxi piensa mucho antes de besarme, su piel afeitada no raspa. El taxista habla en árabe, grita. José María mete su mano por debajo del vestido, besa un rato y luego para, me mira como si quisiera confirmar que soy yo, sonríe, dientes muy rectos. Su piel tostada es más linda en la noche. Él tenía un auto con el que me iba a buscar cuando yo lo llamaba llorando. Él venía a cualquier hora cuando yo lo necesitaba. Él me sostenía dulce la mano y me enseñaba su cuarto de niño con posters de Star Wars por todo lado. Le pedía a «su» María que nos cocinara el locro porque sabía que a mi me encantaba, que me encantan las papas y el queso. Él me llevaba al mirador Cruz Loma. Ahí se estaba muy alto, ahí había neblina que enturbiaba el auto y se mezclaba con la tristeza.

No me fijo en el nombre del hotel, me siento inundada por el *cointreau* y el espumante y los platos de comida y un postre que fue subliminal, que tenía chocolate y me alegró la cabeza. También por su brazo alrededor del mío y porque presiona el botón del elevador y me sigue besando y lo siento más fuerte que nunca, ya no como un niño, ya no como en su cama de una plaza, sobrecama tejida por la abuela. Y la alfombra de los pasillos que dan a su cuarto de hotel son tan lujosas, no sé si son persas pero imagino que sí y él ahora está apurado y me jala, el *blazer* lo tiene en la mano y con la otra abre la puerta, con una tarjetita la abre, y hace un sonido esa tarjeta para avisar que volvemos al pasado, a la adolescencia, entro y miro mis manos y no veo las cunetas porque los cuartos de hotel son siempre oscuros, inclusive este que es tan lujoso que tiene una cama inmensa con sábanas gigantes que se desparraman a los lados cuando los dos nos tiramos ahí y él ya se saca la camisa y es muy prolijo hasta en ese momento. La tira al suelo, se abre el cinturón, no, yo lo desabrocho, también su braqueta y ya no es un chico y está acá sin sus empleados, sin sus caballos, sin sus fogatas y *marshmellows*, sin los ojos de las vacas, sin su familia perfecta. Él me saca el vestido y se muerde los labios cuando ve el sostén de encaje, dice qué hermosa eres, no, dice qué hermosa sigues siendo. Luego lo saca y me chupa las tetas y yo cierro los ojos y tiro la cabeza hacia atrás, el corre el calzón hacia un lado, y me mete dos dedos y yo estoy chorreada de sudor y de sus babas y no quiero pensar que son babas de hombre casado así que le pido que meta otro dedo y él lo hace y babea más y ahora yo quiero engullir todo lo que él era e incrustarme la sierra adentro para poder llevarla en esta ciudad hasta poder regresar de verdad entonces le pido que me penetre y él cumple con todo lo que le pido, como lo hacían sus empleados. Fuerte, le digo, más fuerte, más adentro–adentro, y busco omóplatos para aferrarme, no los encuentro pero tengo que sacarme a Adrià del cuero, no oler más a azahar sino a eucalipto.

Creo que intenta decirme algo lindo, algo como que sería hermoso que volviera, yo le tapo la boca, quiero que se calle, cállate le digo y recibo la tierra que una vez también fue mía.

15. DAPHNE

Entras al cuarto en el medio de la noche, dices que ves unas sombras y tienes miedo. Te escuché venir, tus pies rechonchos hacen que la madera cruja. El departamento ha quedado grande para las dos. Traes tu *shups* y el conejo de peluche. Yo me hago a un lado para darte puesto pero te acuestas pegada a mí. Hace mucho calor. Tiro el conejo al suelo.

Siento culpa de tus miedos, te mereces mi cama. Tengo grabada tu cara cuando entraste al cuarto en una pelea con Adrià. Destierro infantil. Las broncas de los padres a tu edad son una indigencia. Dicen que padre y madre son los dioses en la tierra de sus hijos. Yo no soy la diosa de nadie, mamá tampoco pasó esa prueba. Hannah abandonó a sus hijos uno a uno. Yo te puedo contar sobre eso pero tú ya cerraste los ojos, estás calmada. Siento tu panza que sube y baja, me toca la espalda. La que ve sombras ahora soy yo.

Tengo historias incompletas, fragmentos interrumpidos por la imagen de mi abuelo Ernesto con sus párpados que caían, flojos y macizos. Cada vez que me miraba los ensanchaba de forma rara y fue la única manera de saber sus ojos. Eran verdes pasto, pequeños y dulces, como una melodía de piano de Dirk Maassen. El departamento es sin música desde que se fue Adrià.

El abuelo interrumpe, calla las imágenes de Hannah porque yo nunca lo conocí cruel. A mí siempre me amó. Me pregunto cómo se hace para ser persona con unos, y garras, pezuñas y dientes con otros. Como en tu cuento de Sendak, el niño convertido en monstruo. Pero la que escapó *allá donde viven los monstruos* fue Hannah. Quizá no huía, sólo buscaba a su hijo.

El roce de tu pancita con mi espalda hace que sude demasiado. Tengo empapado el pijama. Me levanto sin prender la luz, miro por la ventana, puntos dorados y azules en una oscuridad que acentúa la sensación de cuesta. Lo que pasó en realidad con Hannah, lo que creo que pasó uniendo retazos, fue que cuando mamá era niña y la tía Lea adolescente, convenció al abuelo Ernesto para acompañarlo a un viaje de negocios. El abuelo tenía que venir a Estados Unidos, pasar por Nueva York y luego seguir curso hacia Virginia y North Carolina. Hannah le pidió quedarse unos días con las niñas en Nueva York mientras él seguía en viaje, y así lo hicieron. Él las dejó, todo pago en el Hotel Americanna. Ella con un beso en la frente y la afirmación de que todo iba a estar bien, *keine sorge, schatz,* acá estaremos esperándote.

Vuelvo a la cama aunque estoy segura de que no podré dormir. Rodaste a mi puesto, así que te deslizo por el colchón hacia el otro lado. Tu piel está tan caliente, es como si tocara vapor. Te huelo, me aferro para tranquilizarme de la noche sin sueño. Mi abuela se ha tomado la habitación y yo no la quiero acá.

Está empacando una maleta cuadrada y dura. Café.
Pone calzones y vestidos suyos. Y otros de mamá y Lea.
El cuarto de hotel empapelado de verde

color ojos de mi abuelo
las niñas mirando la tele, cuadrada con antenas.
Aparato impresionante para ellas que vienen de Quito.
Los zapatos de taco bajo con punta redonda
prendiéndose a la alfombra
del hall.
Zapatos blancos.
Hannah carga la maleta, mamá y Lea la siguen.
A ella le importa su hijo que regaló:
lovoyaencontrar, se repite en alemán
y no escucha a las niñas que preguntan a dónde son llevadas.
El resto es un bus y una casa de la que no tengo referencia.
New Jersey, Cold Spring, mi madre nunca la nombró
de ahí sólo trajo el inglés que se obstinó en enseñarme
como un presagio
el nombre de un árbol: Daphne. Aun no lo encuentro.
Dijo que tenía flores blancas pequeñas con las que se hacía
diademas mientras esperaba que volviera su hermana
a quien ya no le interesaba jugar.
Que viniera su papá a buscarla. Ser encontrada.
Ya no espera a su madre.

Tu pequeña mano cae en mi pecho y la tomo como una
pregunta que nunca sabré contestar. Te quiero narrar toda la
historia pero no la sé, hija. Mi abuelo volvió al Americanna a
encontrarse con un cuarto vacío, cambió los pasajes una, dos,
quizá veinte veces. Pasó el invierno con nieve, como no lo
hacía desde su niñez, cuando fue expulsado. Tenía un abrigo
grueso con bolsillos grandes donde metió las manos tiesas.
Entumecido buscaba a sus hijas y mujer. A esta imagen la
musicalizo también con piano, la cadencia de Adrià siempre aparece aunque no tenga nada que ver. Me pregunto si

vendría a buscarte si te llevo, cuando te incaute de él. Si sería capaz de meterme presa, dónde te buscaría. Él también es extranjero, sus afectos somos nosotras, quiero decir, eres tú.

A la tía Lea no le costó vivir seis meses sin su padre. Cuando el abuelo las encontró, y después de un tiempo consiguió devolverlas, ella pidió quedarse. Quería terminar la secundaria acá. Nunca más pisó el Ecuador, dice que el español no se acuerda. Su hermana es un bicho de laboratorio para ella. Terminó en Dallas con sus rollos descomunales de piel y cabeza.

No sé si me he quedado dormida un rato y me desperté convencida de que tengo que llevarte de aquí. Mañana voy a buscar pasajes, planearé nuestra ida. Ahora estás acostada de panza, tus brazos en cactus, dedos abiertos. Acaricio el meñique, diminuto, me invento la flor de un Daphne.

Cuando al fin dio con el paradero de Hannah, desde Ecuador y con detectives, Ernesto volvió a Nueva York. Se presentó en la puerta de esa casa de aire, con policías. Mamá era la única adentro, estaba sola y jugando con un acordeón gigante de su propia abuela que había muerto hace tiempo, y a quien nunca conoció.

Quise saber de mi historia
por medio del acordeón
nunca lo había escuchado bien y le pedí a Adrià que me mostrara.
El acordeón es abuela de mi abuela. Es Viena, otro lugar del que no soy.
O sí.
Me puso *Road to Nowhere* de los Talking Heads, pero eso contaba más de su historia que de la mía.
Y yo lo amé con un amor que inundaba,
por esos cuatro minutos con diecinueve segundos.

Ahora yo me pego a ti. Tengo que contarte esta historia, así sea incompleta. El abuelo Ernesto, Hannah y mamá volvieron a Ecuador después de arreglar las cosas para que la tía Lea pudiera quedarse. No con Zdenka, la amiga de Hannah, con conocidos del abuelo. Hannah nunca más fue dueña de una llave. El primer terremoto del 87 lo vivió dentro de su departamento en la González Suarez colocada debajo del marco de la puerta, rezando los pocos rezos que recordaba de la escuela hebraica en Viena.

Mamá descubierta de necesidades básicas mientras crecía. Imagino su cara tendida como un plato vacío en la mesa. Hannah nunca pudo dar mucho, ni cuando mamá llegó adolescente y embarazada de Arón a su casa.

El abuelo Ernesto algo hizo hasta su muerte.

A lo de mamá tendré que responder otro día. No apoyes tu mano en mi pecho ahora. Siento mis párpados pesados como los de mi abuelo.

16. SUBWAY

Es la primera vez en el año de trabajo con Macarena que me pide que vaya un sábado. Como Lola está con Adrià, le dije que sí, a pesar de que no me gusta mucho la idea de pasar mi sábado con Pipe. Ir a hablar con él en español cuando lo único que le interesa es chatear con sus amigos, en inglés obviamente, o en algo parecido. En *stickers* y GIF y *slang* o cosas que me hacen sentir muy vieja. Sólo pocas veces me ha hecho caso, una de ellas fue cuando le traje Harry Potter. Lo miró y dijo que ya lo había leído en el idioma original en el que fue escrito. Pero cuando le conté que mi casa preferida era Slytheriyn y que Harry Potter me parece un huevón que no puede hacer nada solo, por lo menos se rio. Antes de irme escojo un libro que creo que le puede gustar.

Huele a verano cuando salgo del departamento. No puedo explicar cómo exactamente, quizá sea un árbol o el cemento caliente, una flor que cae humedecida, succionada por la temperatura. Es un olor que sólo sentí cuando llegué. En Quito no existen las estaciones. Igual que en Bogotá, me dijo Macarena cuando hablamos de nuestros lugares de origen. Me gustó que no asegurara, ni bien le dije que soy de Ecuador, que vengo de un clima tropical. También me gustó su piel pulida, textura de algodón de azúcar, rosa. Llevaba un traje entallado de pantalón. Nunca la he visto sin *blazer*, parecen confeccionados en Italia, pero ahora todo se hace en China. Es directora en una gran empresa, no sé cuál, no me importa. La comparo con mis compañeras de colegio. Seguramente serían así si no se hubiesen quedado en Quito para casarse, reproducirse y armarse unas casas inmensas con ventanales sin cortinas en conjuntos con guardias y alarmas, y esposos que chupan como condenados todos los viernes. *Whisky* con Güitig, *whisky* con hielo. Van al mismo club social, hijos en la escuela a la que fuimos, pelos con shampú de manzanilla, intento de aclaración. Blancura.

Para qué carajos quiere esa mujer que yo vaya a conversar con su hijo preadolescente todas las tardes en español, le pregunté a Pumi cuando me comentó del trabajo. Macarena es cliente de Nobu, va por negocios o con su esposo, a quien sólo vi un par de veces en lo que va del año y se llama Alejandro. Tiene cara de niño con cuerpo hombre, desproporcionado. El pecho y las piernas extremadamente delgadas y femeninas con una panza que sobresale. Él también siempre lleva trajes que parecen quedarle grandes. Rulos en el pelo, desprolijos. No me habló nunca, es más, creo que intenta ni mirarme. Desentona con Macarena, tan linda y peinada, flaca con brazos estilizados por el ejercicio. Se levanta a las cuatro de la mañana para encontrarse con su *personal trainer* en el Central Park y luego volver para alistarse e ir al trabajo. Se cuida, come bien, todo orgánico, su casa es de una limpieza impecable, tienen una empleada peruana a la que le pagan todos los viernes en efectivo. Yo la veo poco porque nunca entra al cuarto de Pipe. No me saluda ni me dirige la palabra. A veces me siento incómoda cuando Maca habla con ella, su tono de voz es distinto al que usa conmigo. Intensidad. Timbre. Duración.

Antes de entrar al *subway* aspiro el olor, imagino mis fosas nasales meneándose. Me gusta sentir el cambio de clima, saber cómo vestirme para el frío o el calor, guardar la ropa de otoño en primavera. No quiero que me guste nada, quiero tener un lugar adónde regresar. Voy al Upper West Side, línea roja. A pesar de viajar así todos los días desde que llegué a Nueva York, todavía me parece extraño estar bajo tierra. Miles de personas a diario amontonándose con prisa para ser llevadas por estas máquinas. Las retinas que quieren ver pero no saben hacia dónde moverse. La negrura y la velocidad combinadas no hacen bien a los ojos. Titilan, centellan buscando la luz. Mejor centrarse en un punto fijo, una persona, un color. El tubo.

Hay una mujer tapada la cabeza con un pañuelo de seda negro. También se cubre el resto del cuerpo con una falda larga y camisa de satén, mangas hasta las muñecas. Me gusta cómo le quedan sus zapatos de caucho Ralph Lauren blancos, el caballito de polo es rojo y grande. Tiene una cartera inmensa marca Versace, una V dorada que brilla demasiado. La mujer mira su celular, viaja parada. No más de veinticinco años, seguro, me pregunto cuántos hijos tiene. Imagino a su esposo, vestido en bermudas y chancletas en el verano, reunido con sus amigos. Fuman cigarros, no beben alcohol. Ella chatea y sonríe, escribe muy rápido en su celular. Imagino cómo hace el amor con su marido, acostada ahí, sin moverse, esperando a no sé qué. Me da ganas de imaginármela masturbándose pero no consigo sacar a su esposo de la ecuación.

Fui a la entrevista porque Pumi me lo rogó, que ya le había ofrecido a Macarena, me dijo. Que le deja siempre cien dólares de propina. Me impresionó el departamento apenas entré. Pienso que Macarena esperaba a alguien diferente porque al principio me recibió parada con sus tacos de aguja en la cocina, pero luego decidió hacerme pasar a la sala. Le pidió a la empleada que me preparara un café. Hazlo con la Bodum, por favor, le dijo. Y a mí, que ella quiere que su hijo no pierda el idioma de sus padres, que ella siempre ha intentado hablarle en español pero que Alejandro ya se cansó y le habla en inglés. Que ni cuando han viajado a Colombia Pipe quiere hablar y eso le parece raro. Y lo más importante, que para entrar a la Ivy League siempre piden por lo menos un idioma extra. Esa mujer piensa en la universidad de su hijo desde que es un bebé. Harvard. Yale. NYU Stern. Brown.

Hay asientos vacíos pero a mí me gusta viajar parada. Observo pies, cabeza para abajo. En verano me fijo en eso. Están siempre sucios por la caminata, por tomar ascensores o escaleras, pisar y pisar hasta llegar a la máquina. El aire que emite cuando se aproxima es un vaho. No lo niego, siento alivio cuando la puerta se abre, apenas entro soy llevada. No tengo que decidir, ni moverme, ni pensar. Meditación. Adrià me contó que en Barcelona uno se abre su propia puerta. Hay que jalar una palanca, meterse solo al hoyo. Entregarse.

Veo una mujer gorda, es obesa, con una bermuda de *jean*, camiseta de Bob Esponja holgada. Está sentada diagonal a mí y llora. Un hombre flaco con pelo largo atado en una cola de caballo, sentado al lado de ella, le hace caricias y abraza. Tiene que estirar un montón los brazos para poder rodearla. Me pregunto si la mujer vuelve del entierro de su madre y me siento tan triste. Me angustia pensar en volver de aquello en el *subway*, llorar en estos asientos duros, naranjas y sucios que apestan a humano caca. Miro el pecho de la mujer, se tapa la cara. El hombre ha puesto una mano sobre su espalda que se mueve por el llanto. Es un llorar altísimo a pesar de que la mujer no emite sonidos. La camiseta le tiembla por los sollozos. El Bob Esponja parece reír.

A la entrevista fui convencida de decirle que no, pero Macarena es demasiado buena negociando. Es tan bella que hipnotiza. Me habló de planes y cosas que podría hacer, de futuros bastante concretos, cosas de las que nadie me ha hablado antes. Me vi a mí misma enviando dinero a mamá a pesar de que ya no lo necesita porque Arón tiene mucho ahora y se hace cargo de todo. Ya no requieren que esté acá, pero tampoco les hago falta por allá. También me vi con Lola viajando, luego a las dos metidas en aguas termales, agua de lluvia infiltrada en la caldera volcánica del Chacana. Energía calórica que transforma, magma y medicina. En las imágenes, Adrià nos esperaba afuera con unas toallas, nos había seguido. Al país de indios.

En Columbus Circle sube una señora puesta una falda diminuta y *body* de cordones que se cruzan por donde asoman las tetas inmensas. Pestañas postizas, no logro identificar si es latina o de las Filipinas y siento un poco de asco de mí misma. En esta parada del *subway,* cerca de los ascensores, Adrià y yo decidimos que separarnos sería mejor. Él lloraba, un tipo en patineta le pasó golpeando el brazo por accidente, Adrià le gritó, primero en catalán y luego en español, que se vaya a tomar por culo, y siguió llorando con lágrimas gruesas que empapaban toda su cara. Nunca me bajo acá.

En otro asiento hay un hombre de unos cincuenta años y de uñas largas, están bastante limpias pero yo siento repulsión. Tiene entradas grandes en la frente, lee un libro, algo de matemáticas. Será profesor de Pipe cuando vaya a NYU pienso, y me rio. Cuando salgo en la calle 88, vuelvo a oler a verano, veo el parque. Qué flor será la que se humedece así. Mis fosas nasales bailan, lo sé. Las reprimo porque siento culpa, no quiero ser de la ciudad.

No sabía que los sábados estaba el mismo portero, Demian. Me saluda con una leve sonrisa, me gusta mucho su cara y su altura también. Pienso que podríamos haber estado juntos si hubiésemos nacido en años parecidos. Le tengo cariño. Presiono PH en el ascensor, la puerta desemboca en el departamento de Macarena, que espera con Alejandro. Ella lleva un vestido largo rojo con cuentas de piedras de cristal, entalle en la cintura. Me recuerda cuando veía Miss Universo con mamá. Era su programa favorito porque no le gustaba mirar nada serio ni triste ni de miedo. Tampoco le gusta hablar de nada de esas cosas. El Miss Universo lo esperaba con ansias todo el año y, cuando al fin lo ponían, se pasaba criticando a cada una las cuatro horas. Yo, mientras, leía libros que me dejaba mi papá.

Alejandro va con *smoking*, cara lavada, gel para calmar los churos. Maca se ha puesto la cantidad exacta de sombras en los ojos, seguramente fue a la peluquería, es tan bella que impresiona. Me saluda con beso, como siempre, Alejandro mueve la mano, creo que también está saludándome, no me mira. Gracias por venir en sábado, Sara, no sé qué le pasa a Pipe que se empeña en quedarse. Cada vez está más rebelde, Sara, no sé ya qué hacer. Suben al ascensor, antes de que se cierre la puerta, me dice que le ha contado sobre mí a su amiga Dayana, que quiere que trabaje con sus hijos también. Que le ha enseñado fotos mías y que luego me cuenta bien. Cuando se cierra la puerta me pregunto por qué tendría que enseñarle fotos mías para eso.

Entro, saco el libro de mi cartera. No voy a tomar ningún trabajo con ninguna Dayana. El aire acondicionado es fuerte, estornudo. Me viene un aroma a vainilla, canela y granos de cacao. Aromatizador nuevo. El departamento es demasiado blanco. Esto no es mío. Entro al cuarto de Pipe pero no está. Lo llamo y no contesta. Cuando abro el estudio de Alejandro, Pipe está ahí en pijama y tirado en el suelo, despeinado y mirando a la nada. *Hoouula*, dice y sé que hace ese acento de gringo a propósito.

17. AVESTRUZ

De pequeña, cuando todavía vivíamos en esa casa grande con patio verde y dos árboles densos de capulí, mamá no me dejaba mirar a los ojos de los *maestros*. Hombres que venían a cortar el césped o arreglar: carpinteros, electricistas, plomeros. Hasta que pudo, mamá siempre la estaba arreglando o haciendo una redecoración. En los restaurantes me recordaba que no viera de frente a los meseros tampoco. Esa gente es sucia, decía, se limpian los mocos con las mangas, hacen pis en donde quieren. Se quedan dormidos borrachos en las veredas de cualquier calle y no vale que vean de frente a una niña. A mí eso me daba más curiosidad y siempre estaba espiando escondida. Una vez un *maestro* se dio cuenta de que lo estaba viendo por la ventana, detrás de la cortina de tela, y me mandó un beso volado. Por supuesto que nunca se lo conté a mamá.

Quizá por eso, cuando recién llegué, miraba siempre para abajo, aunque los *maestros*, o sea los *handymen*, se veían totalmente diferente, eran gringos, se vestían con ropa de marca para trabajar, y luego me enteré de que ganan mucha plata por los arreglos que hacen. Y mirando al suelo noté que las aceras son más limpias que allá, pero aún así te encuentras cosas interesantes. Me topé con jeringas usadas, colitas para el pelo, y hasta llegué a encontrar calzones. Además, lo que ya no se utiliza lo dejan en las veredas: colchones, lámparas, veladores, sillas, parlantes, almohadas, cobijas o televisores. Una vez me llevé un iPod. Le compré audífonos nuevos para probar y me sirvió por un año. Escuchaba a los Foo Fighters desde la parada de NewKirk Plaza a la 47–50 del Rockefeller, luego caminando hasta Piacere, el restaurante italiano donde conseguí mi primer trabajo en Nueva York. El *busboy*, luego de algunos meses de que yo entrase a trabajar allí, una vez me preguntó si estaba triste o qué, me invitó a tomar cervezas luego del trabajo y me dijo, riéndose, que parecía un avestruz. Me contó que había dejado tres hijos en San Salvador, que era demasiado pelado cuando los tuvo pero que sí les mandaba dinero. Los había dejado chiquitos y la madre ni le enviaba fotos, así que no sabía muy bien cómo serían en ese momento. Aunque no se los imaginaba tan bonitos. Que tenía una pareja portorriqueña acá y estaban esperando una hembra. Lo de hembra, me explicó, es como llama al bebé su mujer de acá, porque en El Salvador no se dice así. Me hizo reir y alzar la vista por un par de segundos, y le acepté ir a tomar las cervezas. Era un poco más alto que yo, tenía puesto un *hoodie* amarillo y pantalones flojos. Se peinaba con gel, y se le formaban dos hoyos en las mejillas cuando sonreía. Fuimos al bar de al frente, se nos sumó una de las meseras, Meghan. Pedimos unas PBR en lata que me parecieron demasiado suaves, no me llenaban. Ernie, se llamaba el *busboy*, originalmente Ernesto, igual que mi abuelo. Ordenaron también unas *onion rings* que no comí, más cerveza y luego una ronda de *shots* de Southern Comfort con limón.

Vi a Ernie bailar con cada canción que ponían y a Meghan reírse y tratar de mover las caderas como él. Yo me mantuve sentada en el banco alto del bar durante toda la noche, y cuando Ernie vino a bailarme adelante, pedí otro *shot* de

Southern Comfort. Ahí me animé a alzar la mirada y me topé con sus ojos. Dos pelotas minúsculas donde casi no cabía su color: marrón oscuro. Pestañas tan largas que desentonaban completamente con el resto de su cara. *You have pretty eyes,* avestruz, me dijo y se fue a bailar con Meghan. Se movía con todo su cuerpo, agarraba a Meghan de la cintura y cantaba a todo pulmón *She's Crafty* de los Beastie Boys. Su piel parecía arenosa con las luces del bar. Tenía brazos fuertes y vellu- dos. Cuando volvió y me dijo *let's get out of here,* avestruz, me acordé de mamá y de los árboles de capulí, de las dos canastas que sacaba para recoger los que se caían al suelo, de cómo lloró debajo de uno cuando nos quitaron la casa y papá se fue. Los *maestros* que venían a cobrar, ella que nos gritaba que nos quedáramos en nuestros cuartos, la camioneta que alquiló para la mudanza en la que tuvimos que sentarnos los tres ade- lante, al lado del chofer que ponía *Nuestro juramento* a todo volumen y a quien yo, por supuesto, tenía prohibido mirar. Atrás iban sólo las cosas que nos pudimos llevar tapadas con un plástico, el televisor en caja y las canastas con los capulíes.

Ernie se arrimó a la barra y yo olí su cuello brotado de sudor, me repitió, vámonos de acá. Yo levanté su quijada para mirarle fijo a los ojos, pasé una mano por su pelo, rocé sus cejas y me bajé del banco. Cerca, muy cerca de su oído, como queriendo beberlo, le dije, *yes, let's get out of here,* y nos fuimos.

18. STEVIE NICKS

Es uno de los sábados que no me tocan, como si fuera un bingo y lo hubiese perdido. Así lo organizamos con Adrià, así dividimos a nuestra Lola. Robert me ha convencido de irnos por el día a Coney Island. Me pasa a buscar en el auto con su hija Perin que ni me saluda y sólo mira videos en el iPad. Él me pide que ponga algo de música y yo busco Stevie Nicks, el sonido de su voz me aquieta. Doy play a *Edge of Seventeen* y apoyo mi cabeza al respaldar. Robert debe ser uno de los pocos gringos que tiene un auto a marchas, y todo el tiempo apoya la mano sobre la palanca de cambios. Con el reflejo del sol se ven sus vellos blancos. Sus nudillos tienen rastros de arrugas que parecen ríos. Por momentos siento ganas de navegar por ellos. Subo el volumen de la radio.

No nos toma más de 20 minutos en llegar y yo disfruto del camino porque ni Robert ni yo sentimos que tenemos que hablar si no es necesario. Él se ha vuelto anclaje, un cerco donde apuntalar de a ratos. Sabe que me quiero ir, que quiero volver. Sabe que volver es un girar hacia atrás, invertir el camino. Mi trayecto de vuelta se está borrando.

Cuando llegamos, yo prefiero caminar hacia la arena a pesar de estar en *jeans*. Si quieren adelántense al Wonder

Wheel, yo les alcanzo, le digo Robert. Me quito las medias y los zapatos, puedo ver las venas moradas en mis pies que se hunden. Me recuerdo de niña, en los viajes a Salinas. Bajábamos de la montaña al mar en un auto pequeño, tres horas de curvas, seis más de viaje en la humedad. Papá siempre nos despertaba para que buscáramos la nariz del diablo en Tandapi. Un loco esculpió la cara del diablo en media montaña y a mí tenía que importarme.

En la playa, mamá nunca me puso bloqueador. Carne fresca, piel blanda echada al sol, una carnada para la ebullición. Buscaba estar fuera de las sombras, tendía una toalla para mí y otra para ella, para llegar con buen color, tostadas, decía. En una vuelta a la montaña regresé con ampollas de agua en la espalda, gigantes y gelatinosas, que ardían y no dejaban que me apoyase al asiento. Papá me gritaba que buscara la nariz del diablo y yo lloraba bajito, muy bajito.

A mamá le costaba tocarme, eso concluyo al sentir el agua en la orilla del mar. Todavía está muy fría. Siempre he preferido la playa en otoño porque no me siento forzada a meterme. El mar es un engendro que me ha expulsado de sí. Soy una gota de él que no puede regresar.

Veo a Robert y Perin a lo lejos. Él le ha comprado una paleta azul, al fin ella guardó su iPad. Salgo de la orilla y me siento dándole la espalda al mar. Desde acá se ve la rueda, y yo no puedo hacer más que imaginar a mi abuela Hannah sentada, dando vueltas en uno de esos carritos. Me faltan trozos de historias y las concibo de a fragmentos para ir armando a este ser inconcluso que soy.

Supongo a Hannah sentada al lado de Zdenka, las dos con una Fanta en botella de vidrio. Invento que Zdenka se iba a casar con el hombre de Suffolk y una tarde le pidió a Hannah que se escaparan del trabajo temprano, que quería celebrar con ella porque quizá no se volverían a ver. Imagino que Hannah se puso una falda recta y blusa de manga corta a botones y que al bajar del tren sintió un pálpito, se desabotonó los últimos tres botones de la blusa y se la amarró en un nudo a la altura del ombligo. Fantaseo que Zdenka llevaba un vestido largo y ancho con un cinturón finito. Que, como yo lo hago aquí hoy, se sacaron los zapatos y medias al llegar a la arena. Que juntaron las pocas monedas que tenían y luego decidieron gastárselas en un *waffle* del Sodamat. ¿Este miedo al mar será mío o de mi abuela?

Robert y Perin se acercan y se sientan a mi lado. Ella tiene la lengua azul y agarra la camisa de su padre. Robert me acaricia una mano, sonríe y me recuerda que el mar está hacia el otro lado. No me gusta, le digo, y él se burla y me dice que le voy a agarrar el gusto cuando me lleve al Caribe. Yo no quiero ir a ningún otro mar, yo quiero tierra, surcos y montes, un suelo firme. Un lugar mío, no esa agua que se mueve y te lleva con furia a donde quiere.

Ahí en silencio, sentada al lado de Robert, invento que mientras daba vueltas en el Ferris Wheel, Hannah ya alcanzó a ver al hombre desde arriba. Que le llamó la atención la cantidad de pelo y sus gafas tipo aviador tan modernas para la época. Que le pidió a Zdenka que le prestara su labial. Veo a mi abuela juntando el labio de arriba con el de abajo para esparcirlo con un pequeño temblor. Me invento que cuando bajaron de la rueda, el hombre se les acercó. No puedo inventar su nombre, hay cosas que, hasta ahora, no se pueden nombrar en mi familia. Sí puedo imaginar de él que en vez de ayudar a su padre en la barbería, prefería tirar una moneda al aire; si salía cara, tomaba el tren hacia Coney Island, si salía sello, se iba al Bronx adonde sus primos. Que le gustaba el sonido de las ruedas del tren y fumar los Camel. Que quizá es el padre del hijo perdido de Hannah. El temblor de mi abuela, ¿será algo mío?

Perin se ha terminado la paleta y quiere subirse al Ferris Wheel. Robert me pide que vaya con ellos, su voz a veces es una acústica que dibuja mi propio sistema esquelético. Le digo que le ponga bloqueador a su hija. Para qué, me pregunta, si no hay sol. Le explico sobre la resolana, hablo de cómo pega más fuerte en las montañas, pero que en la playa también se da. Este hombre de ciudad no entiende nada, así que le explico que yo le pongo bloqueador a Lola hasta para ir a la esquina. Puntos, puntos, puntos, luego esparcir, tocar su nariz, las mejillas, el cuellito, por atrás de las orejas. Acariciarla tanto: eso mío, no de mi madre, tampoco de mi abuela. Ni decir en la playa, acá en Long Island, aprovecho para masajear sus piernitas y brazos, la espalda. Eso sí, le digo a Robert, hay que hacerlo rápido porque los hijos sólo te prestan su piel un par de minutos antes de salir corriendo. Le cuento que Lola siempre quiere meterse al mar y yo no la dejo, no sólo porque es muy chiquita para ir sola, sino por mi propio terror. Me toca seguirle, gritar que no he terminado de ponerle bloqueador que se va a quemar. Ella llega a la orilla y chapotea y ríe y yo entiendo entonces que en Lola la separación con el agua no es posible. Es de tierra y de agua, también de altura. Estoy segura de que cuando me la lleve no le va a dar soroche.

Robert intenta ponerle bloqueador a Perin pero ella lo jala para ir corriendo a la rueda. Yo me levanto y los sigo. Perin agarra la camisa de su padre. Ya en el carrito se sienta en el medio y yo tengo que cerrar los ojos. Mi mareo, ¿será algo de Hannah?

19. MUDANZA

Antes de que naciera Lola, de que nacieras, Lola, decidimos que nuestro departamento en la 7 y A era demasiado diminuto para una bebé. Como si los bebés necesitaran espacio. Lo que exigen es piel, cubiertas de dermis como protección de este mundo. Nos mudamos a Astoria, donde parí. Como última patada de ahogado, a Brooklyn.

Un *storage* es un cuarto en el que no vive nadie pero lo limpian y lo cuidan, se alojan objetos usados, apropiándose del espacio. Tertulias de planes que no fueron o están en pausa. Yo pago su renta cada mes.

Vengo a deshacerme de todo, ya no es necesario, estaré lejos pronto. En un lugar mío con montes y cascadas, agua que refresque. Adrià ya ni se acuerda, o no le interesa. Traigo bolsas de basura industriales. Abro la puerta. Es un contenedor de abandonos, materia a la que no le permiten desintegrarse.

Discos.
Imposible para un melómano botarlos, siempre estuvo la promesa de acomodar al bebé, acomodarnos nosotros y traerlos a casa. Quizá si los hubiésemos venido a ver. Quizá, la música. Pero quisimos hacer una especie de

hogar con amplitud o que sé yo, calmar este destierro para los dos. Que la nena escuche a *Los niños del Brasil,* dijo. Y luego: es mi infancia, cariño.

Yo pedí que bajara el volumen.

Máquina de café con moledor.

En mi casa pija de Sarrià siempre molíamos el café, dijo. Y luego: el problema de los pijos es que follan sólo entre ellos y mal.

Yo pedí que no le pusiera azúcar.

Mapa ilustrado de Barcelona.

Barrios en los que vivió desde que se fue de la casa materna cuando murió su papá, marcados con un Sharpie. El Gótico, Poble Sec, Born. Más a las afueras, Hospitalet de Llobregat porque nunca más acepté dinero de mi máma, dijo. Y luego: hago círculo en el puerto porque he trabajado de fileteador de pescado. Y luego: que ideas de cómo hacer dinero tenía para echar a los marranos, pero que a él no le importa el dinero.

Yo pedí que nos llevara para allá alguna vez.

Hamaca de flores brasilera, comprada en Union Square.

Adrià se acostó encima, estaba en medio del departamento, impedía el paso. Me voy a liar mi primer piti en nuestra hamaca de jardín que no está en un jardín, dijo. Y luego: mi mejor amigo palmó en la ruta del bakalao porque iba muy colocado.

Yo pedí su nombre.

Teléfono inalámbrico Panasonic gris. Inutilizable.

Lo usó para llamar a su madre después de no hablar con ella por años porque yo lo convencí. Porque yo pensaba que cuando se tiene hijos, esos hijos tienen que tener abuelas, abuelos, viejos que te abracen y te digan que comas los caramelos que te de la gana y te hagan pasteles y te lleven al parque. Pero eso no lo tuve yo, porque Hannah nunca me dio un abrazo ni me quiso.

Él habló en catalán muy rápido y yo no pude entender casi nada, sólo cuando dijo *equatoriana* y *nadó*, y escuché la voz de la madre alzarse y sonaba como una cantante de opera que se pone en la esquina de la calle y no tiene micrófono, tan soprano que se me hizo la piel de gallina. Cuando colgó me acarició una mejilla con su dedo áspero y yo soñé con una abuela para mi Lola. Mi máma se ha acordado de Ecuador, dijo. Y luego: me ha dicho que los que le robaron el piso de Gràcia eran ecuatorianos.

Yo pedí que circulara Gràcia en el mapa.

Vestido blanco, bordado con flores.

Me lo puse para una fiesta de independentistas donde iba a estar su ex. Con la que se vino a Nueva York. Es diplomática y parte de la Delegación de la *Generalitat* en Estados Unidos, oficinas de acción exterior, dijo. Él me sostuvo la mano toda la noche como si entre los dos existiera una nación con fronteras trazadas, par de xenófobos. La ex despampanante y flaca con tatuajes de puntillismo en la piel aceituna. Aretes hechos por manos catalanas, y de bronce. Escote hasta el ombligo, las tetas planas, pezones parados. Yo lo miraba a él para ver si algo le quería pero Adrià es una persona que no puede ocultar nada, y concluí que me quiere a mí, me quería pues, a mí. La tía está como una cabra, dijo. Y luego: que se puso como una cabra ni bien llegaron a Nueva York. Yo pedí que nos fuéramos, que me invitara un trago, que me manoseara rico, que me folle, pues, así con esa palabra para ser más clara.

El libro *Investment Banking: Valuation, LBOs, M&A, and IPOs*.
Consiguió el trabajo en el banco sin presentar diplomas
ni papeles ni nada porque a él se le dan las cosas así, porque no necesita universidades ni clases para aprender y es
encantador, tan encantador. Un amigo lo metió ahí aunque él haya vuelto a decir que no le interesa el dinero. Y se
le hicieron fáciles los números y las cuentas. También las
reuniones y entender en dónde invertir la plata de otros.
El libro, un regalo de su primer día. A estos tíos les gusta
que les traten de frente y medio mal, que les haga bromas.
No tienen *seny*, consigo clientes, dijo. Y luego: me dan su
dinero, yo lo invierto, se multiplica.

Como las horas que pasó fuera de casa, de ese nuevo
departamento con más espacio y una beba en Astoria. Estaba
haciendo dinero. Horas sin música, sin retirar sus discos, sin
liarse pitis ni ir a fiestas, ni follar.
Voy a pedirle que tire este libro, que sea él quien se des-
haga de las cosas. No sé si es cansancio o enojo lo que siento.
Seguiré pagando la renta. Las bolsas quedan adentro. Cierro
la puerta con llave.

20. ORTODOXOS

Mi primo Jeff me espera para almorzar en el Cipriani de Wall Street, sentado con las piernas abiertas, mirando su teléfono y con un *bourbon* apoyado en la mesa. Imagino que me llamó esta vez porque se ha enterado de que me separé.

Cuando llego, no se levanta y no sé muy bien si abrazarlo o darle o un beso o qué, así que me acerco y tengo que agacharme para saludarlo. Tengo mi cartera cruzada que se cae hacia delante y él, sin dejar de mirar su teléfono, me da unas palmadas en la espalda mientras yo me pregunto para qué vine. Tiene tan azules los ojos que me recuerdan a los cielos que pintaba en mis cuadernos cuadriculados durante las clases en primaria. Nunca ocupaban toda la hoja, como si el cielo sólo estuviera por encima de nuestras cabezas. Inalcanzable. Jeff tiene las mejillas coloradas, tal vez este sea su segundo *bourbon*. Está bien afeitado, usa un traje marrón medio setentero y se ha hecho manicure en las uñas.

So, what's up, es lo primero que dice, no habla español ni ningún otro idioma, no lo he visto en años y tampoco sé muy bien qué contarle. Él participó del plan de descolocarme. Enviarme a Estados Unidos. Lo habían organizado muy bien. Yo acababa de graduarme del colegio y nadie me hablaba en casa de si quería ir a la universidad. El único que podría costearla hubiese sido mi hermano, yo pude terminar la secundaria porque él empezó con su trabajo y al poco tiempo ya era el preferido del jefe. Pero el plan no era que yo fuese a la universidad, sino que me viniera acá, el accidente de mamá me iba a desencajar a mí, no a ella.

Con el jefe, Arón comenzó a ir a la sinagoga, mamá me preguntaba a cada rato por qué, como si yo, de repente, tuviera respuestas. El jefe le pagaba la cuota de la comunidad. Se volvió tan judío. Que había que ayudar a Israel, decía. En casa nadie había mencionado a Israel antes, pero se volvió súper importante y mamá, que estaba tan celosa de esa otra familia, se ponía en forma de coma, hecha un ovillo que no lograba cerrarse.

Yo le pregunto a Jeff hasta cuándo se queda, vive cerca, en Delaware. Él pide un *bourbon* para mí, siento el impulso de decirle que no pero no digo nada. Sólo se queda hasta mañana, tuvo que viajar por reuniones, como siempre. Cuando deja su teléfono y me mira fijo, me doy cuenta de lo chuecos que son sus dientes. *So, I am sure your girl is adorable,* me dice, estoy segura de que ni sabe cómo se llama. Lo es, le digo, y tomo de mi *bourbon* un sorbo que me quema la garganta y me recuerda a Jeff y sus sandalias cerradas Timberland en mi casa de Ecuador.

Jeff vino a Quito a los 18 años porque era el vocalista de una banda de Hardcore y se iban de gira por Latinoamérica. Lo único que hacía era gritar como un condenado y yo sentía un goteo en los calzones. Tuve que ir a dormir con mamá y él se quedaba en el cuarto con Arón. Yo pequeña con los calzones mojados y pegajosos. Nadie me explicaba nada y yo tampoco preguntaba porque sabía que mamá no me iba a explicar nada ni tampoco le hubiese gustado que le dijera que me gustaba mi primo. Creo que mamá no soporta mi cadencia.

Ordena dos hamburguesas y me pregunta qué pasó con el español, si necesito que haga algo. Qué va a hacer este gringo, me pregunto mientras tomo otro sorbo del *bourbon* y le digo que se llama Adrià. Se me amortigua un poco la lengua. Me acuerdo de cuando Jeff estaba en Ecuador y un día, con los calzones baba y sonando bajito, le pedí que me cantara una de Alanis Morissette, pero él me dijo que no sabía cantar, que tenía pésima voz pero que igual nunca cantaría una canción de esa *bitch*. *Bitch*, ahí aprendí esa palabra, *bitch*, tan usada acá para todo, buena *bitch*, mala *bitch*, ni lo intentes, *bitch*, sé una *bitch*, una *bitch* poderosa, un hombre *bitch*, llevar a una *bitch*, *I'm his bitch, bitch please, bitch me out, this is bitchin', bitchslap, bitching, snack bitch.*

Me pregunta si quizá lo conoce porque sabe que trabaja en la banca y conoce a muchos, por su trabajo, *you know*. Probablemente no, digo, pero sólo porque no me imagino a Adrià con él. Habla con pedazos de hamburguesa hechos pelota en su mejilla derecha y se va poniendo más colorado y alzando la voz. *You're not gonna go back are you*, me pregunta y luego sigue con que cuando Arón le pidió que me ayudara a venir yo era tan diferente, *you're tough now, you know, tough,* y hace músculo con el brazo como si no supiera que entiendo perfecto inglés, como si nunca entendiésemos del todo inglés.

Luego empieza a hablar de su viaje a Quito, se habrá dado cuenta de que no tenemos mucho de qué conversar. Me pregunta si me acuerdo de lo divertido que fue y también si mi hermano sigue siendo ortodoxo. Jeff en Quito se pasó en la Mariscal haciendo pases porque la cocaína le resultaba tan barata, también comiendo y tirando con ecuatorianas, alemanas y dos travestis, la segunda le sacó una pistola cuando Jeff no le quiso pagar. Eso le contó a mi hermano y yo escuché escondida afuera del cuarto. Mi hermano nunca fue ortodoxo, le digo.

Mientras Arón se ponía los *tefilim* con el jefe, enrolla que enrolla, la cajita en el brazo que llegue hasta el corazón, planeaba mi viaje, concordaba con mamá y, claro, con mi primo en el otro lado del océano. Cuando me dijeron que tenía que irme y dejar de ser egoísta, me aseguraron que Jeff y su hermana me iban a conseguir trabajo. Él ya se había graduado de la universidad, manejaba fideicomisos en Delaware. Todos esos lugares eran sólo nombres para mí, porque yo nunca había pisado Estados Unidos.

La mandíbula de Jeff masticando la hamburguesa suena a dos fierros chocando. Yo sólo me comí las papas fritas y él ya se ha terminado el plato y quiere pedir postre. *Cheesecake*. Habla altísimo y mueve mucho los brazos. Se ha quitado el saco y lo colgó en el respaldar de la silla, su corbata es ancha, muy diferente a las que usa Adrià. Me dice que esa noche tiene que ir a cenar a la casa de un cliente y que le han dicho que traiga a su pareja. *I need your help, sweetie, you don't have to kiss me or anything, though.* ¿Dónde?, le digo, y me pido otro *bourbon*, me lo tomo a sorbos gigantescos. *Fifth Avenue, of course.* Le pregunto si no tiene amigas en Nueva York y contesta, casi sin pensar, que no, y que además, yo soy su prima. *I'll owe you one.* Ok, ok, mándame la dirección y la hora, le digo, y me acomodo la cartera porque ya no quiero estar ahí, quiero caminar un poco. No sé cómo despedirme, él no se levanta, yo ya estoy por irme y me agacho. Le doy un beso bien baboso en la mejilla, he dejado el *bourbon* por la mitad, salgo.

21. EL VERDE

El pasto es enorme, ramas, hierbas, helechos te cubren. Tú saltas y ríes, en el medio. Mueves las hojas, arrancas el diente de león, lo soplas. No sale suficiente aire de tu boca y sólo vuelan unas cuantas partes por encima del verde. Caen, germinarán, supongo. Tus botas de caucho suenan en el piso. Pasos en lo húmedo. Senderos en tierras ajenas. Si la tierra puede llegar a pertenecer a alguien, ésta es de Robert. Compró el verde, un espacio para el fin de semana: Fleischmanns, Nueva York. Hay una montaña, me dijo cuando llamó a invitarnos, le va a gustar a Lola. A Perin le gusta, es la única forma en que consigo que deje el iPad. Hay un lago, con rocas y una pequeña cascada.

Corres detrás de Perin, ella baila y canta, da vueltas, menea el pelo como lo hace Selena Gómez, no conozco bien la música, me llama la atención su apellido. Hija de migrantes como tú, se colmaron del término *hispanic*. ¿En qué prefacio cabemos nosotras, hija? Te veo correr con tu saco turquesa de lana de borrego que compré a la otavaleña de Queens. Algo de mi espacio en tu cuerpo. ¿Mi tierra?, no es mía, yo nunca usé uno de esos sacos a pesar de haber crecido allá. Siempre busco un lugar de pertenencia para las dos.

Yo camino con Robert, los dos en silencio, supongo que él también observa a su hija o quizá piensa en cómo construirá la casa, qué necesita para Perin, qué me puede ofrecer a mí para que me quede. Sus ojos ya me han demandado otras veces que me ancle en algún lugar, que me acople, que me *empatrie*. Han sido como manos que jalan, que tiran con fuerza. No la suficiente. ¿Quieren ir al lago?, pregunta con un sosiego que me conecta con mi cuerpo, siento la sangre espesa, caliente adentro. Clavo mi mirada en ti, Lola, y atrás veo la montaña color del trigo y las aceitunas, no es muy alta, no como las de Quito, parece una mujer lista para irse. Una vez te leí un cuento en el que una montaña quiere ir al mar, camina por el mundo durante muchos años, cuando llega a la playa ya casi no queda nada de ella, se convierte en arena, se une al agua. A la montaña primero, le contesto a Robert y no sé por qué tomo su mano, que está tibia. Nos preparamos para ir después del almuerzo, tú y Perin están emocionadas. No la vamos a poder subir entera pero sé que hay unos espacios para comer, me dice Robert, quizá podemos parar ahí y luego pegar la vuelta. Inclusive a las montañas les intentan poner un orden acá, Lola. Robert mete cosas en una canasta de picnic de diseño, del MoMA. Me calzo también las botas, he mentido, dije que sé de montañas pero no sé cruzarlas. Estuvieron mis ojos plasmados en ellas todo el tiempo: caminando, en un auto, en el bus yendo al colegio, en las haciendas de mis compañeros millonarios. En el cuarto de hospital mientras a mamá la inspeccionaban, verificando huesos rotos, futuros en silla de ruedas. Quito está rodeado de montañas, no importa dónde fijes tu mirada, te vas a topar con una. Me pregunto si la observación da alguna autoridad para subirlas. No sé la respuesta pero voy al mando, soy la guía. Este hombre de ciudad no iba a saber nada, la niña media turca tampoco. Tú, Lola, naciste de dos existencias que miraron hacia arriba, dos valles conscientes de su insignificancia. Adrià me contó de las montañas allá en Cataluña, yo no pude más que compararlas con lo que conozco, a pesar de que las mías siempre van a ser una amenaza, camas llenas de clavos. Son volcanes, y en realidad tampoco son tan míos.

Tú y Perin van al frente nuestro, Robert me toma de la mano. Yo le dejo. Imagino que estamos en un lugar sin nombre ni gente que acuña términos como *Hispanic, Asian American, African American, minority, ethnicity.* ¿Por qué no *Hispanic American?*, cuando me lo pregunto me rio de las tonteras en las que pienso y vuelvo a la imagen de los cuatro como una familia sin apellidos: ni Gómez, como el de Selena; ni Forcadell, como el tuyo; peor Auerbach, como el de Robert. No tenemos trabajo, cazamos, encontramos yuyos comestibles, preparamos jugos con frutas. *My feet are tired*, mamá, interrumpes mis locuras, ya no quieres caminar. Perin se adelantó, Robert la llama. Upa, mamá, estiras tus brazos, tu piel brilla como si te hubiesen pasado pintura de porcelana por el cuerpo. Me fijo en el reloj, hemos caminado hora y media. Te *amarco* un ratito, Lola, amar–co, esa palabra indígena que pone el cuerpo en el amor. Estás grande, tus pies ya me llegan por debajo de las rodillas, siento las vertebras presionando mientras subo la montaña. Pongo mi mejilla sobre la tuya, sudamos. Estamos demasiado abrigadas para escalar.

Perin también se para y dice que está cansada. Robert no la toca, actúa como un *coach*, no como su padre, le dice que ella sí puede, que no le diga que sus pies de corredora ya se cansaron, que es su pequeña deportista. Perin frunce la nariz, sus ojos se plantan en mí cargándote, como acuarelas que se esparcen con el agua.

Le pido a Robert que paremos en esas mesas que había dicho. Cuando las encontramos, mi espalda vibra, tú has apoyado tu cabeza en uno de mis hombros y estás dormitando.

118

Perin llora, que se quiere sentar. El cielo toma un color durazno que contrasta con los árboles altos de la montaña, el sol está bajando. Las malezas, extrañamente, se tornan violeta. Así veía también los volcanes en Quito, me daba cuenta de que las montañas no son verdes, tampoco son mías completamente. ¿Qué es mío, qué es nuestro, hija?

Robert apoya la canasta que discrepa con la mesa de madera roída, apolillada y húmeda del espacio de *pícnic* de la montaña. Tú te bajas, encuentras un charco de lodo y metes tus botas. Perin le pide el celular a Robert. No creo que haya señal acá arriba, dice y me mira como pidiendo perdón. No entiendo de qué se disculpa este hombre, quizá mi mirada duela, increpe. Yo no quiero que se sienta así, quisiera que me tomara, que me diera un lugar de pertenencia, aunque sea parte de este verde para habitarlo, para seguir imaginando que es un lugar sin nombre, sin frontera. Un espacio para volver a empezar, declararme de acá, olvidar la historia de mis mujeres, de mi familia sin tierra. *El pueblo desterrado que no tiene nombre.*

Cuando vuelves toda enlodada encuentras a Perin gritándole a su padre porque no hay señal de internet para el celular. Yo te desvisto, te cambio de ropa con la que traje en una mochila, sabía que ibas a terminar hecha un asco, mi niña de tierra, tienes raíces que pueden crear latifundios en el pasto, naciste en un lugar que no es de nadie aunque acogió a tu bisabuela y a nosotros nos apresa. ¿De dónde dirás que eres?

Está oscureciendo, Robert ni siquiera le contesta a su hija. Sonríe cuando saca de su canasta unas velas, un pan en trenza, un encendedor, un tarro grande de jugo de uva Welchs y unas copas de plástico. *It's Friday, dudes*, dice riéndose, Perin vira los ojos. Traje las cosas para hacer *shabbat*. Y luego, dirigiéndose a ti dice, en la ciudad nunca se ven las estrellas, pero acá arriba es fácil encontrarlas. Te reto a que hagamos el *shabbat* antes de que aparezca la primera estrella, pero tienes que estar atenta. Perin y tú miran hacia el cielo al mismo tiempo, intentan divisar la primera estrella. No todavía, chicas, primero a encender las velas. Perin acomoda las velas, el *jalá*, se alista, ella recitará el primer rezo, las mujeres lo hacen. Algunas veces fuimos un viernes donde el abuelo y Hannah lo hizo, desganada, frotándose el anular. A mi madre sólo la escuché repitiendo lo que le decía Arón que tenía que decir cuando él se hizo religioso.

What's shabbat, mamá, *can I do it?*, preguntas, y me doy cuenta de lo poco que te he contado de este pueblo sin tierra. *Baruj atá Adonai*, Perin recita con los ojos cerrados, ha encendido las velas, tú miras intentando saber qué dice.

Errantes, hija:
Abuelo judío con sotana de cura
la sinagoga un recuerdo, una estrella escondida.
Abuela desterrada dos veces. Lamió las botas a un Nazi antes de salir en el barco.
Besó la frente de su padre antes de partir de Nueva York.
Desposar a Ernesto.

Lejadlik ner shel shabat. Perin abre los ojos y está más calmada. Quizá el rezo sea una meditación para ella, algo que no te he enseñado. Robert sirve cuatro copas con jugo, es vino, te dice, *really*, mamá, te ríes, *can I drink this wine*, yo asiento con la cabeza, aun en el crepúsculo eres mi patria. Espera, Lola, hago esta bendición y lo tomamos todos juntos, sí, *girl?*, dice Robert y luego, *Baruj atá Adonai, elojeinu melej…*

Errantes, hija:
Somos mujeres con pasos en Nueva York, ninguna se ha quedado, a mamá la regresaron.

Perdió una hermana, la ciudad la absorbió, heredó una
madre que no acariciaba,
sin besos, bendiciones obligadas
Shabbats forzosos.

Boré perí agafen, ahora sí podemos tomar el vino. Tú te
lo tragas de un sorbo, *more*, le dices a Robert, él se ríe, Perin
también, y te lo sirve. Pon tu mano encima del pan como lo
hago yo, te dice. Tu manita es casi del color de la *jalá*, *beige* y
esponjosa. *Baruj atá Adonai elojeinu melej aolam hamotzilejem
mina aaretz.*
  Cuando dicen *aaretz* te gozas y lo repites como en un
canto, Perin también se ríe. Reparte tú el pan, te dice, así
que arrancas pedazos y nos entregas a cada uno. Un grande
para ti, le dices a Robert, este hombre neoyorquino te ha
sabido ganar por su pueblo. Algo tenemos en común con
ellos, hija. Algo tenemos en común con Ecuador, hija. Algo
tenemos en común con los catalanes, hija. ¿Qué tenemos
que sea nuestro?

Errantes, hija:
Acá estamos en esta montaña bajita,
Fleischmanns, mi tierra sin nombre, ignoraré los carteles.
Te quiero llevar lejos, no tengo lugar
la errancia implica buscar toda la vida.
¿Extrañarás a un padre que sí tiene tierra y la dejó?
Yo te puedo dar mi vida.
Construiremos un lugar en los desiertos
mamá dejó de hacer *shabbat* cuando se unió al hombre *goy*
que es mi padre.
Mamá volvió a hacer *shabbat* cuando se unió al hombre
que encontró la religión como una patria. Mi hermano.
Mi abuela se frotaba el anular mientras encendía las velas.

Ella también buscaba.
Ella nunca sonrió.

Es hora de bajar, dice Robert cuando terminamos el pan y nos deseamos el *Shabbat Shalom*. Mamá se unió a mi hermano Arón cuando planeaban mi destierro. Sigue unida a él porque la puede mantener. Arón, tan judío ahora, tan de la comunidad, tan de Ecuador. No le interesa salir, no le interesa visitarnos, está muy ocupado. Tiene que amparar a mamá.

That's the first star, dices señalando el cielo oscuro, despejado. Nunca como el cielo de Quito porque, aunque subimos esta montaña, allá siempre se está más alto. Robert te celebra, saca unos dónuts, dice para la bajada tengo: *chocolate frosted, cinamon twist, strawberry frosted, jelly, blueberry* y *glazed*. Tú escoges el de chocolate, le das un mordisco. Estiras tus brazos y dices, upa, mamá, tu cara destella inclusive en la oscuridad.

Eres anclaje, hija. Sí, te *amarco*, hija. Descendemos, tú comes tu dónut, Robert y Perin se toman de las manos. No quiero ver los carteles, ni las flechas, direcciones que delimitan un espacio.

22. DECLARAR

He logrado que Pipe me hable un poco porque le dejo grabar mi voz. Está obsesionado con los sonidos. A veces me grita que me calle porque entra una mosca a su cuarto y quiere escuchar el zumbido. Persigue a la mosca para escucharla mejor, trata de grabar pero no sabe muy bien cómo. Es un hombre pequeño lleno de hormonas que no sabe controlar y se mete a sus libros y su física y su acústica para calmarse. Siempre me asustaron los adolescentes. Me asusté de mí misma cuando lo fui, mamá nunca me explicó nada.

Le dejo grabar mi voz con la condición de que converse conmigo en español, como quiere su madre. Cuando hablamos de libros, contesta con frases cortas, palabras punzantes. Entonces pregunto sobre el sonido, qué hará con la grabación. Que la va a estudiar me dice, va a estudiar mi voz. Cómo es eso, pregunto, y me interesa. Ahí se entusiasma por explicar, pero hay palabras como *larynx* o *vocal cords* o *soundbox* o *fricatives* que no puede emitir en español. Me explica que los pulmones producen aire y tiene que pasar por la *larynx* para que creen *vibration*. Me quedo pensando en el trabajo que tenemos que hacer para emitir palabras.

Vibración, Pipe, son parecidas, le digo, es fácil. Me hace escuchar una grabación de Macarena. A mí me interesa lo que dice, le habla a Alejandro sobre unas inversiones, sobre los inquilinos de su departamento de Bogotá, de la cena con el embajador, pero Pipe me habla por encima sobre voces impostadas. Le interesa analizar el timbre, la intensidad de la voz de su madre. Dice que le falta fijarla en las cuerdas vocales para hablar sin esfuerzo. Me señala sonidos que no me parecen diferentes y recuerdo el accidente de mamá, cómo quise vomitar por los oídos. Pipe me dice que la gente abre la boca para emitir sonidos que los demás perciben pero no escuchan.

Mamá después de su accidente oía un silbido todo el tiempo. Constante, alto, incómodo. Tinnitus, dijeron los doctores. Lo escuchas, lo escuchas, preguntaba mamá y no entendía por qué yo no. Imposible que separe sus necesidades de las mías, porque las hijas estamos acá para cumplir. Yo trataba de adecuarme, presionaba mis oídos y hacía zuuuum con mi voz. Sentía obligación.

Mamá, en la cama del hospital, dijo muy alto porque no se escuchaba a sí misma:

—Hannah nunca me quiso porque lo único que quería era al hijo que vino a destiempo, demasiado cerca de la guerra y el escape. Uno que regaló y que nunca más pudo nombrar. A mí en cambio me nombró sin amor, Edna, Edna, Edna. Lo repito porque el silbido no me deja escucharlo. Edna no es un nombre para Ecuador.

Me pregunto cómo estudiaría Pipe un sonido que nadie más escucha. Rugidos, timbres, chasquidos, siseos. Pienso qué libro traerle para nuestro siguiente encuentro. Me mato pensando cómo llegar a este chico. Él, en cambio, me llega porque habla sobre nuestra vibración en el mundo. Hay algunos sonidos que mueren, otros quedan. Declaraciones.

El silbido que escuchaba mamá continuó hasta que me vino a dejar a Estados Unidos. El accidente fue volviendo del casino adonde había ido a apostar la poca plata que le quedaba de lo que le dejó el abuelo Ernesto. Pipe me dice que en casa, frente al espejo, repita *a e i o u* varias veces, que me ponga el dedo índice y anular en la garganta, que así voy a sentir las vibraciones, que así voy a entender los sonidos, el mundo. Me pregunto cómo será en el colegio este niño *geek* medio genio, me pregunto si graba a sus amigos. Si le hacen *bullying*. Siento un poco de tristeza por Macarena, no creo que vaya a ser el hombre de negocios o el doctor que ella espera. Creo que nunca va a hablar español como ella quiere, a él le interesan otras resonancias, no esta lengua que lo conecta con su madre.

En casa juego con Lola frente al espejo, ella repite *a e i o u*, pongo mis dedos en su cuello, busco la laringe, ella se ríe porque le causa cosquillas. A mí me da piel de gallina su vibración. Quisiera poder sacársela de adentro, llevarla conmigo en el bolsillo, es el único retumbo en la tierra que me tranquiliza. Ella se mata de la risa, vuelve a decir *a e i o u*, luego grita: mamá, *you are crazy com una cabra*, mamá, *te trencas de riure*, y salta y yo me quedo helada porque está hablando en catalán y eso me congela, le digo que es hora de ir a la cama, me pide que la deje quedarse un poco más. Vuelve a hablar en inglés y yo estoy con frío y sé que mete a su padre en la casa y yo no sé cómo sacarlo de acá. Cuando la acuesto en su cama y la tapo, acaricio su cabeza y también el cuellito. Pienso cuánto aire tienen que emitir los pulmones para que podamos hablar.

Declarar cuesta más, me dijo Pipe, hay que impostar la voz, manejar las cuerdas vocales. Beso a Lola, *I love you*, mamá, me dice y cierra los ojos. Yo cierro los míos, repaso ecos, declaraciones que me han invadido. Palabras impuestas que todavía escucho:

Declaraciones de Hannah

(Cuando murió el abuelo Ernesto)

Ahora me quedo sola, al fin.

Mi único deber es distribuir el dinero entre estas hijas que nacieron de mí, a pesar de mí.

Hijas que completan
los tres.

Mein augeblink
el mar en mi boca, pedazos de arena en los labios. Con él me metí al mar, nunca más estuve adentro, sólo encima en el barco. Yo nunca quise venir a Ecuador. Para entrar al mar, él me tomó de la mano. Me sumergí.
Mein augeblink
mi hijo que parí de mí.

Declaraciones de Adrià

Cuando vivía en Barcelona me gustaba mirar hacia arriba, a los balcones, donde la gente seca ropa o cuelga banderas.

Las burkas tendidas del Raval encienden las calles con sombra. Yo caminaba por ahí, no por Las Ramblas porque está lleno de guiris.

Barcelona es una ciudad de escaleras donde se tiende por donde no se ve o se tiende con las ganas de que se vea. Mi *máma* se quejaba de esa gente que tendía, que era de mal gusto, reclamaba la facha.

Yo ahora echo en falta, dicen que Nueva York es un caos, para mí todo está controlado acá.

Crean más colectividad un montón de bragas, calcetines y sábanas tendidas que todos estos yanquis que son más individualistas que la ostia, joder, te pasan por encima.

Les vales una puta mierda.

Declaraciones de mamá

Nombrarte Sara para que calce en todo lugar. Errante, camina por Egipto. Una matriarca que no tiene hijos.
Las hijas de este linaje se van, peregrinan a ningún lugar.
Yo sé que es a ti a quien debo enviar. Es el deber.
El mío fue quedarme sin hermana, tener una que no es mía. Extranjera. Yo no me moveré de las montañas a pesar de tener un nombre que no es de acá. Edna, Edna. Hannah me nombró.

El único deber que tenemos las madres es nombrar a los hijos.

23. OTOÑO

Camino a casa de Adrià, voy a buscarte. No tomaré el *subway*, salgo con tiempo. Cruzaré el puente, llegaré a ti, a ese hermoso departamento con instrumentos musicales y afiches, un cuarto hecho a tu medida: cama alta con cajones para guardar, un pequeño escritorio para cuando crezcas y tengas deberes. Un altillo para que juegues, papel tapiz sueco con ilustraciones tan finas como velos. Interiorista, acomodar espacios para quedarse, más imposible el regreso desde nuestra separación.

En Prospect Park hay un viejo tocando el piano de madera clara. El hombre tiene la barba sucia y blanca y un sombrero de policía. Levanta muchísimo los dedos cuando toca, es como si les pegara a las teclas. Algunas personas nos hemos parado a escuchar, a un lado hay una mujer de rastas y pantalones anchos de colores haciendo burbujas gigantes que los niños intentan atrapar. Pasos, risas, las burbujas se revientan. El piso queda empapado.

El sonido del piano abre mi pecho. Entran las hojas caídas de los árboles: marrones, verdes, amarillas, grises, vino, rojas. Me invade el otoño, me puebla este lugar del que no soy, los colores explotan. Extraño la casa de los tres.

Reconozco la canción, Dirk Maasen. Martilleos que crean notas graves irrumpen por un oído y el otro detecta las notas finas. El piano es uno de los pocos instrumentos capaces de generar las dos al mismo tiempo. La ciudad se regala a sí misma, te entra por espacios de piel. Soy porosa. Me niego a que ingrese, pienso que volveré al lugar donde le regalaban frutas a mamá. Una *yapa* para los guaguas, un racimo de plátano o unos verdes para los chifles. El ají en bolsita de plástico.

No podemos, Lola, no podemos volver a ese lugar porque ya no existe.

Ya no sé nada de allá. Arón nunca se comunica. No sabemos ser hermanos. Mamá es la que dice que él se encarga de todo. Le ha comprado un terreno, va a construirle una casa de una planta para su silla de ruedas, para desplazar mejor el oxígeno, para los ejercicios de articulaciones, las fisioterapias, los traslados. Yo no sé cómo está ella ni cómo está nadie. Todo es a través de una voz, a veces por una cámara, nada seguido. Yo quisiera ver cuerpos, palpar a mamá, su vejez.

Le digo que cuando vayamos le plantaremos un árbol de capulí. No sé bien quién descuida a quién: no vengas, es muy caro. No tienes nada que hacer acá. Este país es una mierda.

No vengas, el otro día se metieron a la casa del vecino. Le violaron a la mujer, no vengas. Es inseguro. Nadie hace nada. Cualquier trámite es una hazaña, ninguno se hace cargo.

No vengas, las calles huelen a hornado y pis, la basura se mete a las alcantarillas y las tapa. Hay raposas por todo lado, no vengas. Le rompieron el vidrio del auto al Arón para sacarse la bolsita de gamuza, esa azul, ¿te acuerdas?, donde guarda los *talit*, no vengas. Los ladrones *se han de ver* quedado secos cuando abrieron la bolsita elegante y se encontraron con unas telas blancas que no les sirven para nada.

No vengas a tu edad. No hay hombres solteros, los divorciados tienen que dar plata a los hijos, no vengas, te vas a quedar vistiendo santos. Este no es lugar para Lola. Ni para ti. No vengas, ya *has de* conseguir alguien allá, uno mejor que el español que no se baña. Ya no sabes cómo son las cosas, la corrupción. No vengas que la educación es mala, les meten cosas al cerebro.

Allá hay más oportunidades, no vengas. A Lea le ha ido mejor que a mí, que no tengo nada. Ya no dejan ni divertirse, cierran los casinos, acá hay que dedicarse a tejer. Yo no sé tejer, quizá por eso no soy buena abuela.

No vengas, el otro día balearon a un tipo en el Parque de la Carolina, lo leí en El Comercio. Hay sicarios ahora, no vengas. Teniendo todo allá, no vengas. Ni se te ocurra venir sin Lola, eso es abandono. Te la quitan, te la va a quitar, no vengas. Quédate, ya eres más de allá que de acá, no vengas a este hueco.

El viejo se saca el sombrero y pide monedas. Miro el reloj, camino lo más rápido que puedo. En una banca hay una mujer dormida, cuando paso a su lado huele a húmedo y yo me toco los brazos porque siento como si estuvieran mojados, con agua chorreando. Pero estoy seca y muevo los pies con fuerza, hacia ti, hija.

Antes de entrar al Manhattan Bridge voy al *deli*, tengo sed. Deme una Güitig le pido al señor que está detrás del counter. Aquí no hay Güitig, contesta con acento cuencano. Vaya a Astoria, ahí consigue. Un agua con gas, le digo. Tenemos Perrier o Pellegrino. Cualquier, fría. ¿De Quito es usted, señora?, asiento con la cabeza. No parece. Salgo chupando la Güitig que dice llamarse Pellegrino.

Al frente mío en el puente me pasa una mujer que carga gemelos pequeñitos y calvos. Uno en cada brazo, *animala*.

Los pies de cada bebé se enrollan en sus caderas como ganchos sujetados a la pared. Yo me paro en el filo del puente, quiero ver el East River. Ella sigue su camino, bebés a cada lado, en su espalda una mochila tan grande como una casa. Me entran unas ganas bruscas de escupir, me aseguro de que nadie me vea y lo hago. No llego a divisarla cuando cae, pero imagino la saliva mezclándose con el río, agua que entierra. El agua es un cementerio, tantos huesos y cadáveres en el mar que desemboca en ríos. Migraciones de animales, sobrevivir es una suerte.

Tengo que pasar por Chinatown, me paro a ver las maletas. Las muevo para ver si las ruedas sirven. El dueño del local me grita que no toque la mercadería, su hijo pequeño viene gateando, tiene mocos color esmeralda en la nariz, como corrientes pegajosas. El hombre agarra al bebé con fuerza, le grita algo en chino, pienso que la criatura se va a poner a llorar pero no dice ni mu, abre los ojos negros, acaricia la nariz de su padre. Dicen que a veces los niños se retrasan en hablar cuando los padres les hablan en un idioma diferente al de su alrededor. Tú no te atrasaste para nada, decidiste muy pronto adoptar un lenguaje que no es mío. ¿Me hablarás español, Lola, o el inglés te ha poblado? La lengua es una cuna, una madre que te envuelve. Apoyo mi lengua en el paladar, hago un rollito con ella. Lengua madre.

Con qué lenguaje te cuento que el mundo se ha roto.

Mulberry Street huele a la salsa del pescado que me hace acuerdo a cuando te parí. Nació de mí una montaña con cúspide perfecta como la del Cotopaxi. Mirarte como se lo mira al volcán, de mis ojos brotan pétalos de todos los tonos de verde, soy espesura porque existes. Entro a un *tai*, me dan unas ganas inmensas de comer con las manos, es muy temprano para la cena, muy tarde para el almuerzo, así que no hay nadie. Me traen un plato lleno de fideos con brotes de soya encima, las manos se me llenan de aceite me mancho todo el borde de los labios. Paso mi lengua para limpiarme. Lengua madre que quiere asear. Higiénica. A la mesera ni a nadie le importa cómo se come, apenas termino viene a retirar mi plato. Me fijo en sus manos, tienen cortes, granos: urticaria. Sus manos erupcionaron como un volcán, la lava volvió a meterse por la piel y se convirtió en rocas. Puños migrantes. Mientras lleva los platos conversa con el cajero en tailandés, grita, las rocas de sus manos son moluscos.

Miro el reloj, todavía queda tiempo, Adrià me dijo que a las seis te pase a ver. Pido un té helado, me pregunta si quiero ceylan o assam, le digo que con cualquiera y ella se va con sus manos acéfalas. El té llega anaranjado y oloroso, huele a anís y tamarindo, y yo recuerdo cuando eran las épocas de tamarindo en Quito y mamá compraba unas bolsas gigantes, las dos nos sentábamos en la cama y pelábamos con las uñas las cáscaras fuera de sus vainas, escupíamos las pepas en una servilleta. Devoradoras hasta que nos aparecían llagas y ampollas en la boca de lo ácidas. Cascaritas quedaban en el piso, Arón las recogía, las raspaba de la alfombra vieja. Un gato pulgoso que vivió con nosotros unos meses se las comía, su lengua era una lija. Tomo un sorbo, la leche condensada excede, es la reina en el té. Manda, decide quién entra y quién no, los otros sabores migrantes. Me da un brote de energía, me paro a pagar y salgo. Huele a calle, aspiro, soy un árbol con poca clorofila, hojas naranjas como las del té. Mis fosas son unas traidoras.

Ya estoy muy cerca del departamento de Adrià, tengo que seguir por Leonard recto. Antes entro a un parque llamado Columbus, miro un partido de básquet de unas adolescentes. Me impresionan, son hermosas con sus rulos y sus lacios y sus *shorts* y sus sacos holgados con capuchas y bolsillos canguro.

Las manos grandes que *arranchan* la pelota. Las del banco cantan canciones de hip–hop, una de ellas hace trap en español, mueven los brazos y se ríen, *yo, yo, yo,* chicas de ciudad.

Igual que tú, Lola, igual que tú.

24 Leonard Street, piso 4: timbro y no contestan. Son las 6 en punto, camino hacia la esquina y vuelvo. Timbro. Mensaje a Adrià: estoy abajo. Me siento en la barandilla de la puerta. Un hombre sale apurado, se molesta porque impido su paso. Me encojo, reviso el celular. Mensaje a Adrià: ¿dónde están? Me dijiste que viniera a las seis. Me levanto a caminar de nuevo, me tuerzo el tobillo en las piedritas. En la esquina hay un hotel, salen unas sesentonas elegantes, yo vuelvo a sentarme en la puerta del edificio. A las seis y diez me contesta Adrià perdona que vamos tarde, te dejo una canción de cuna perfecta para esperar en mi calle. Mensaje de Adrià: *Lullaby,* de Leonard Cohen. Hago clic: *Well the mouse ate the crumb, then the cat ate the crust, now they've fallen in love, they are talking in tongues.*

Hablar en lenguas,
hablarte en lenguas,
hablar con la lengua.
Decirte que este mundo se ha roto.

A las seis y veinte los veo venir, Adrià jala una maleta con ruedas, tú llevas una mochila. Tu risa sosiega, es mi canción de cuna. No tengo idea de dónde vienen, Adrià no me dijo nada de un viaje. Cuando me ves, vienes corriendo y me abrazas, manos como garras, te acaricio, te palpo, te arrullo. *Puja a posar-te la pijama,* te dice Adrià, y te abre la puerta. Lamento llegar tarde, me dice. Entra, que arriba te lo puedo explicar todo, dice. Sé que desvía su mirada porque no soporta verme cuando me hace daño.

Yo voy por las gradas, tú y Adrià se suben al ascensor que es demasiado moderno para la ciudad. Presionas, imagino, el número 4 y te apoyas en Adrià. La puerta se cierra. Pediré explicaciones arriba, pero no delante de ti. No hay mucho que se puede decir, mientras subo esos cuatro pisos me doy cuenta de que no soy la única que te puede llevar. Todas las hojas que entraron en el pecho cuando escuché el piano caen en las escaleras, quedan marrones, verdes, amarillas, grises, vino. Rojas.

24. DEPARTURES

Jeff me espera abajo en un auto negro con vidrios polariza-
dos. Cadillac Escalade, leo detrás, parece auto de celebridad.
Abro la puerta y huele a cuero, es como entrar a un ahumador.
Pensé que vendría con chofer pero él mismo maneja. Me dice
que hizo sólo tres horas de Delaware hasta acá y que gracias
por acompañarlo, que es la última vez que me lo pide. Mas-
tica chicle con la boca abierta, lleva puesto un saco de terno
holgado, camisa de líneas. *You look good*, dice sin mirarme.
Dónde piensas estacionar este mazacote en Fifth Avenue,
le pregunto, y luego añado que hubiésemos podido ir en el
subway. Pero maneja rápido, en el Midtown Tunnel sube el
volumen a toda y rapea, no le entiendo nada y no me importa,
ya tiene visto el estacionamiento en la 73 y 5ta y se demora
un buen tiempo con maniobras para no raspar el auto. Del
estacionamiento tenemos que caminar dos cuadras hasta el
edificio de su cliente. Presiono los tacos con fuerza haciendo
polvillo el concreto.

El departamento lo conocí la otra vez, también al cliente y
a su mujer Suzanne. La cena es agradable, no tengo que hacer
mucho más que pretender que soy la pareja de Jeff. No es difícil porque los hombres conversan entre ellos y las mujeres nos

aglomeramos en la cocina. Somos tres porque también han invitado a una señora austriaca. Tiene el pelo completamente blanco agarrado en un moño bajo y usa un chal de colores. Es tejido. De Costa Rica, me dice en español. Es coleccionista de arte, vive en Berlín, se llama Lina y estará en la ciudad por tres meses. Me cuenta que fue a Ecuador una vez, al Museo de Arte del Alabado, le interesa el arte precolombino pero no tanto como el contemporáneo. Tiene una obsesión con el collage, está colaborando con un proyecto de Rebeka Elizegi sobre mujeres que trabajan este medio. Me enseña unas fotos de su trabajo, la artista es catalana.

Me sirven toda la noche un vino que sabe a frambuesa y me hace salivar de más. Jeff es encantador con su cliente, parece otro del que cantaba en el auto o el que gritaba en Quito con su banda. Salimos al balcón con Lina, hace mucho frío y siento como si las mejillas se me solidificaran. Ella se acomoda el chal y sonríe sin despegar los labios. La ciudad llena de luces, una ciudad sin neblina. El viento atiza la piel, antes de volver a entrar, Lina dice algo en alemán pero yo sólo entiendo *augen-blik* porque recuerdo las declaraciones de Hannah.

Nos quedamos poco tiempo después del postre, Suzanne bosteza, a Jeff lo noto aburrido, Lina me pide el teléfono y el email, y me invita a Berlín. Quisiera ir a Austria, le digo, conocer de dónde usurparon a mi abuela. Mi departamento ahí está vacío, disponible para ti, dice. No sé si besarla cuando me despido, al jefe de Jeff sólo le doy la mano, Suzanne me abraza.

Jeff sale medio acelerado, la cara roja, habla sin separar bien las palabras. Me dice que usemos el Cadillac, que mañana ya lo devuelve, que nos vayamos de fiesta, pero cuando subimos al auto maneja sin tener demasiada idea de a dónde ir. De nuevo la música, el rap. Las luces de los postes son larvas, entramos a la autopista, miro por la ventana, las rimas de la música en este idioma que no es mío se meten al cuerpo,

insultos que llenan mis tejidos y partículas, me van compo-
niendo. Ya no puedo no ser de acá. Le grito que estamos cerca
del aeropuerto, que quiero entrar. *For what, dude*, pregunta, y
contesto, porque me da la gana, así que me lleva. Tengo unas
pastillas, me dice en el estacionamiento, y saca unas colori-
das de la gaveta. Se mete dos a la boca. *Departures*, le digo
y camino atolondrada, la sangre se mueve, mis venas están
que rebalsan. El ruido de los aviones despegando es fuerte,
me tapo los oídos. Jeff me sigue, dice algo bajito pero no lo
escucho. Nos sentamos en una banca adentro, miro el cartel
de salidas. Las letras son verdes claras, neon. Se me nubla un
poco la vista, me refriego los ojos.

AeroMexico 3735	Los Angeles	1:43 AM
Turkish Airlines 9403	San Salvador	2:26 AM
Air France 8702	Accra	2:38 AM

Los lugares son sólo nombres, no son espacios si no los nombran
las personas. Cuando leo Los Ángeles no pasa nada, a San Sal-
vador le puedo poner un nombre, aquel amigo que me llamaba
avestruz. A Rebeka Elizegi no la conozco pero sí a su ciudad,
nunca fui, cuando Adrià me poblaba, la ciudad se escurría, edi-
ficándose como una idea, sé de nombres de espacios en los que no
he estado pero se han colado en el cuerpo. No soy ecuatoriana, no
soy ecuatoriana, soy ecuatoriana, soy austriaca y alemana. Algo
de New York que ya no me puedo sacar.

This is so bizarre, dude, me dice Jeff despatarrado en la
banca y luego se ríe tan alto que se acerca el guardia. Me
justifico diciéndole que llegamos demasiado temprano para
nuestro vuelo, así que todavía no vamos a entrar, le aseguro
que estaremos callados. Un señor que no despega la vista de

su teléfono carga una *carry–on* de cuatro ruedas, una familia con tres niños pequeños lleva seis maletas en un carrito que parece una torre, y yo pienso en la de Babel. De nuevo la pregunta sobre la lengua en la que existo, la tonalidad de mi hija, cuál es nuestro verdadero idioma inicial, ¿lo tenemos?

Una mujer viaja sola con mellizos, los carga en un canguro. Mientras hace el *check–in*, uno de ellos se le hace pipí encima. Todo el pantalón mojado, la señora ni se inmuta, está tarde para su vuelo. Miro la pantalla de nuevo, lagrimeo, el verde neón es fuerte.

British Airways 4605	Tokyo	3:23 AM
Avianca 1855	Santiago	4:02 AM
KLM 5733	Vienna	4:36 AM

Viena. Viena. La ciudad de mi abuela. Mi ciudad que no es mía.

Jeff se levanta al baño, camina como si tuviera pesas de 15 kilogramos en cada pierna. Se mete en la fila del *check–in* y luego sale haciendo zigzag. Pasa codeando a una señora que está con un nene de unos 3 años. El niño bota su chupón al piso a cada rato. Su madre lo levanta y tiene unas ojeras violetas que brillan. Cuando Jeff vuelve, me pregunta si ya nos podemos ir, parece que el efecto de las pastillas ha bajado. Le digo que sí, le doy un vistazo a la pantalla y me topo con otra mujer sola con su hija pequeña. Comento para mí misma, como de chiste, que parece que esta noche parten todas las viudas y Jeff me alcanza a oír y me pregunta qué dije. Tanta mujer sola viajando con sus hijos, le explico. *Why would they be widows*, me pregunta cuando llegamos al auto, como si hubiese tenido que pensar mucho en lo que le acabo de decir. Bueno, no sé, viajan solas con sus hijos, no parecen haber presentado nada el rato de hacer el *check–in*, pero quizá les piden en migración. *What do you mean*, abre el seguro de las puertas y nos metemos. Va a subir el volumen de la música pero se contiene, parece como que realmente quiere saber a qué me refiero. Que deben ser viudas o tener los permisos de los padres de las criaturas, le digo, y abro la gaveta. Todavía quedan 3 pastillas. *What do you mean*, vuelve a preguntar y ya sin paciencia le grito que para salir del país solo, uno de los padres tiene que tener un permiso del otro, que a mi mamá nunca la dejaron volver a salir del Ecuador sola con Hannah, que el abuelo Ernesto nunca quiso firmar, que no sabe nada de nada. Él se pega otra pastilla y se ríe, me dice que lo que sí sabe es que en su país no piden una mierda, que nadie *fucking cares* si te sacas a los niños ni para qué te los sacas. Que si no lo sé, este es un país de pedófilos, *white dudes* asquerosos, *man*. Que no se necesita ni un *fucking* permiso de nada y que si me quiero llevar a Lola que le avise, él nos trae. Luego sale del estacionamiento muy cuidadosamente para no raspar este auto gigante, acelera, sube el volumen y rapea. Yo saco una pastilla de la gaveta, me la meto debajo de la lengua, cierro los ojos.

This was so bizarre, dude, escucho que dice Jeff.

25. REPORTE

Es la hora de almorzar cuando salimos de la reunión con la profesora de Lola. Reporte de calificación sin calificación porque no califican a las niñas de cinco años. Cosas que ya sabía: Lola es inquieta pero aprende rápido, tiene personalidad de líder, pronuncia bien las palabras, le gusta pintar, inventa historias. Se queda mirando por la ventana como descifrando movimientos de nubes o pájaros, o nubes–pájaros porque en esta zona ningún ser vivo vuela. Por mirar no contesta, y la han cambiado de puesto. Tiene tres buenas amigas y no integran a las demás, le gusta pararse de manos, hacer media–luna, trata de pasar toda la escalera china. Necesita refuerzo en matemáticas, y eso no sé muy bien qué quiere decir a esa edad.

Adrià me abre la puerta del colegio para salir, caminamos unas cuadras. Quiere ir al *noodle bar* de Momofuku en el East Village, nosotros vivíamos cerca de ahí cuando recién abrieron y era un cucho con bancas altas alrededor de la barra y costaba la mitad de lo que cuesta ahora. Que hoy va a coger licencia, dice, y que le encantaría que lo acompañe. En una hora y media tienes que volver por Lola y yo a mi trabajo, le digo. Ya, y cómo va ese curro, pregunta mientras saca la bolsa de tabaco para armar. Me entran ganas de comer picante, un *ramen*, picantísimo, que me aflija la lengua y se me entumezca y no la pueda mover por un buen tiempo. Me sorprende que las ganas estén en la comida y no en este pendejo, el papá de mi Lola, este hombre que ya no conozco, que tiene otras calles y vías, ramblas y caminos que le pasan por las arterias aunque las quiera borrar. Yo voy a trazar otra ruta así que quizá los fideos sean lo último que compartamos, entonces le digo que sí, y él que lo espere que se líe el tabaco y se lo fume y que ya vamos. Luego pide un taxi con su brazo largo. Yo miro por la ventana, me detengo en una mujer de falda, top y mallas negras con zapatos de tenis blancos que lleva un café en la mano y corre hacia abajo por las escaleras del *subway*. Siento que Adrià me mira a mí, es como un ardor en el hombro, como si me pasaran un encendedor por encima, sin quemarme. Qué tanto mira. Apoyo la frente en la ventana, huele mal, huele a aliento de gente que se subió antes; y este taxi con el chofer que habla una lengua irreconocible y este otro hombre que no conozco pero es el padre de mi hija, y el olor, y la bulla, y el cuero roto de los asientos.

En el restaurante ordeno primero. Venga, me dice Adrià, que no sabía que te gustaba tanto el picante. Él se pide tres *baos* de cordero y una cerveza e intenta ser encantador como siempre, pero esta vez el mesero se me queda viendo a mí.

—No sé qué ha querido decir con que Lola es inquieta —Adrià se ríe y estira sus brazos encima de la mesa, tan cerca de mis manos, tararea *Girls Go Wild* de LP y nunca dejará de sorprenderme la amplitud de sus gustos musicales.

—Y qué raro que diga que se queda embobada viendo por la ventana —le digo, y nos reímos juntos y me mira con esos ojos plomos y pequeños, la pupilas dos puntos negros como garabateados con *esfero*, y cuando nos traen los platos, yo recuerdo esa vez que tenía nueve años y en el bus de vuelta del colegio una niña de once que se sentaba adelante se dio la vuelta, se puso de rodillas, y me preguntó si sabía cómo se hacen los bebés y yo negué con la cabeza y miré por la ventana pero la niña siguió y me dijo que el palito del papá, o sea el pepe, se mete por la cucha de la mamá, ¿viste que tenemos un huequito? y tiene que meterse por ahí lo del papá para que el bebé llegue. Yo no la regresé ni a ver, hice como que no escuchaba pero me ardió el estómago y pensé que para que yo naciera mi papá le tuvo que hacer eso a mi mamá y el abuelo Ernesto a Hannah y que tal vez por eso eran así ellas y que yo no quería que nadie me hiciera eso a mí. Al llegar a casa, vomité en la puerta de la cocina y Arón gritó que asco, y comí sopa de pollo y mamá me hizo quedarme en casa al día siguiente porque pensó que estaba enferma.

Me meto una cantidad de fideos que casi no entran en mi boca y los mastico, los descalabro, siento como si hubiese inhalado un ají e intento no lagrimar mientras Adrià come el *bao* y sigue tarareando la canción y no se da cuenta de nada y piensa que siempre voy a estar aquí, y que su hija también. Yo le pido una cerveza al mesero y él me la trae enseguida y se queda cerca de mí hasta que Adrià se siente incómodo.

—No me has contestado cómo va el curro —y yo sin decir palabra me tomo la cerveza, mi boca está viva y despierta a la piel, a los huesos, al músculo, y mastico fuerte y muchas veces, las sienes dan placer así, y todo está tan rico y no sé qué le importa de mi trabajo si nunca me lo pregunta y ahora está tan insistente, no tenemos de qué hablar—. ¿El nene qué tal?

Le digo que el niño ya no es niño, es un preadolescente que no quiere hablar el idioma de sus padres y su mamá, Macarena, que es tan guapa, no lo soporta y le hablo de ella y él me escucha de lo más atento, entonces me los imagino tirando, ella toda prolija y Adrià pidiéndole que se ponga de espaldas, en cuatro, y corriéndole el pelo y ella con su cuerpo sin grasa y abdominales con cuadraditos que cede a todos los pedidos, y rogándole a él que le hable en catalán porque suena tan lindo, y luego que *juepucha* que se viene y cuando ya termina le pide un cigarrillo y él se lo arma porque no le gusta que metan los dedos en la bolsa de armar ni que toquen todos los filtros y ella babosea muchísimo cuando aspira, él se levanta y le pregunta si sabe dónde quedaron sus vaqueros pero ella sigue tratando de fumar bien y entonces yo me río en el restaurant y Adrià pregunta que de qué me río, tía, y me dice que le gusta mi sonrisa y luego me cuenta que Lola al fin le habla en catalán y ahí le contesto que sí sabía y que el idioma que no quiere hablar es el español y, antes de empezar a comer su tercer *bao*, suelta: es una independentista.

—Entre vosotras sí habláis castellano, Sara —y él sabe que ella me contesta en inglés y no sé por qué me dice eso pero he terminado mis fideos y me siento tan bien y miro sus ojos plomos, las pupilas aun más pequeñas porque entra mucha luz por donde estamos sentados—. Que hable en el idioma que quiera, ¿no?, es una monada.

Sí que lo es, es la monada más monada de mi vida, toda la existencia, la creación entera. Ya mismo tienes que ir por Lola, Adrià, le digo, y él pide la cuenta y tararea la canción de LP de nuevo y cuando yo apoyo las manos en la mesa, una vez que el mesero se ha llevado mi plato y antes me ha sonreído y yo me he fijado en su pelo negro amontonado y en su nariz larga y en que es muy joven y lindo, y alto, Adrià intenta agarrármelas pero yo no quiero, no tengo ganas de esto ni tampoco de estar con él y siento alivio y canto *I've been caged, I've been hounded, I've been hunted and tamed* y él tararea más alto y sonríe y mueve la cabeza en baile y cuando llega al coro él canta conmigo *Girls go out on the West Coast*... matándonos de la risa, y yo me siento bien con la boca media acalambrada y con que el mesero me mire con ganas.

26. ANTEMANO

Vamos al parque, entramos por la 72 y Columbus, directo al lago. Agua colocada por manos humanas, artificial. 20 acres, dice un cartel, todavía tengo que convertirlas, mi cabeza funciona en hectáreas: 8 mil, más o menos. Pongo una manta en el piso, tú quieres meter los dedos al agua, te acuestas de panza e intentas alcanzar, yo te agarro de la camiseta, un impulso de salvarte de caer. Hay gente remando y sonidos de pájaros por detrás de los gritos y la bulla de la ciudad, los árboles marrones, verdes, grises, celestes con la luz. Se rentan botes venecianos, los gringos siempre con ganas de ser Europa, yo con ganas de existir a pesar de ti. Es mucha responsabilidad la que te dispongo, que seas un país para mí.

Pero tú eres agua a pesar de ser fruto de un salto sobre el mar, Lola. A Hannah y al abuelo los obligaron a partir, ¿de dónde llega este deseo de marcharme? Otro salto sobre el mar, no tocaré el agua que arremolina, marea, mueve y separa.

Can we go on a boat, mamá? preguntas señalando a los turistas que reman. No somos turistas, no voy a remar ni meterme ahí ni nada de eso. Te digo que no, que he traído tu botellita para hacer burbujas, que mejor juegues, yo me acuesto sobre la manta. Una burbuja sobrevuela por encima, refleja las nubes, el cielo medio plateado y a mí. Esta cara ya no es la de antes, me toco la piel, nací en el exilio de antemano, ¿y tú, pequeña Lola, de dónde eres?, ¿dónde criarte?

Quieres atrapar una burbuja y corres, yo me siento. Miro tus ojos achinados, dos líneas que se abren, así adviertes el mundo. Cómo contarte esta historia, hija. Ves a una madre sin tierra, quién seré para ti, cómo me vas a narrar. Parpadeando respiramos, tus ojos se desplazan como las nubes, la infancia que arma tu historia, una casa que se vuelve tuya y me aleja. Es normal, los hijos no nos pertenecen por más esfuerzo que hagamos, tengo un dolor por no poder hacerte raíz que me ancle. Te mereces lo tuyo, Lola, no lo mío, ni lo de Hannah ni lo de Edna, la mamá que me desplazó. Adrià no es el hombre que quería llevarme a ver su ciudad con sus callejones pequeños de sombra y el olor a lavanda y a pan, porque comen mucho pan, cielo, comen harina y toman café y él ya no hace nada de eso, o no conmigo, conmigo no lo hace. Ojalá lo haga contigo.

Relatarte nuestra historia, quizá como intento de memoria propia. Si no para qué esta lengua. Algún día me hablarás, encontraremos las palabras. Amé a Adrià hasta su destierro, cuando me di cuenta de que no iba a volver, tampoco me iba a llevar. Tú quizá puedas hacerlo partir pero tampoco debo ponerte este encargo. Él se acopla, yo, en cambio, me voy alejando de la tierra en la que estoy, de la tierra a la que llegó Hannah. Adonde siempre quiso volver. Si tan sólo se pudieran plantar árboles de capulí en este parque, agarraría uno, comeríamos lanzando las pepas al fondo por debajo de la hierba. Saco mejor las uvas que traje, tú te metes una a la boca, vas corriendo, nuevamente intentas tocar el agua. Otra vez de tu camiseta, toda la vida intentaré salvarte. Intentaré protegerte hasta de mí, Lola. Eres un refugio.

Te decía, amé a Adrià y él a mí, de allí naciste en esta zona inconveniente. Durante el parto comí unos mangos, me transporté a otros suelos, no de humanos. Dar a luz no es de humanos. Mientras te cuento todo esto ya te has hecho una amiga, corren alrededor del lago, mis ojos en movimiento, pupilas incansables. Dos madres tiene la niña, están sentadas en su manta, no la miran se acarician. Yo las protejo mientras las otras se aman, yo ahora sólo te amo a ti.

Podrás conocer a una abuela en persona, hija, si Adrià se anima a llevarte, si regresa aunque sea unos días. Él extraña en silencio o tal vez en ruido. Ruidos del banco, de inversiones, de mujeres y almuerzos, cenas y fiestas que le permiten quedarse. No se pregunta por una crianza en distrito cerrado. El compromiso de su paternidad es borrarse a sí mismo. Escucho tu risa, tengo el impulso de levantarme pero solamente te grito que te alejes del filo, las madres de la niña me entienden a pesar de que la una es gringa y la otra asiática. Hemos tomado el lenguaje del país, el español ya es idioma oficial y yo me pregunto si es mi lengua madre. Hannah, que no me hablaba, emitía palabras en alemán, el abuelo Ernesto también, fue mamá quien lo anuló porque le dolía declarar en el idioma del abandono, del desamor.

Mi hermano ahora habla hebreo, que hay que ir a Israel, dice, pero yo qué tengo de allá. Las madres de la niña saludan, me invitan a sentarme con ellas, no quiero moverme, les digo que no las quiero molestar. Ellas sonríen y se besan con tanta fuerza que me da ganas de besar, y me toco el cuerpo y las piernas y me acuesto mirando las nubes de nuevo, agarro tus burbujas, soplo una para arriba, adivino a dónde iremos.

Cuando se cansan de correr vienes por más uvas, le ofreces una a tu amiguita que te dice *let's hula hula*, y se va a traer la hula–hula, una para ella y una para ti y las dos, tan pequeñas, se las ponen en las caderas y empiezan a menear, hacen círculos con el cuerpo como si los círculos se cerraran todo el tiempo, como si existieran los retornos. Tú te ríes y cantas mientras das vuelta esa hula–hula, las madres vienen a preguntar si me están molestando y les digo que por supuesto que no, me lo preguntan en español, a la niña le hablan en coreano. Cuántas lenguas existen en este lugar y yo no existo en ninguna.

Si Adrià no te va a llevar, yo sí, Lola. No te pienso como a Pipe, ese niño investigador de sonidos, creo que busca también una procedencia, sabe que del dinero no se nace. O sí. Sus padres se ubican, se acoplan, pagan y pagan y emiten facturas y ganan salarios y tienen cenas y preparan futuros con universidades y éxitos, un éxito como el de Adrià, el triunfo del banquero, hacer del dinero un territorio. Yo no quiero eso para ti, tampoco que seas mi país, no te puedo cargar esa deuda, soy yo la que debo decidir cómo criarte. Un pájaro se ha posado en un árbol cerquita, se lo escucha a pesar del ruido del resto de la ciudad, es un gorrión como el que se encuentra en todos lados, en cualquier lugar. Sus alas son el territorio, el espacio de donde es.

Las madres se terminan sentando en mi manta, les comparto las uvas, ellas me traen frutos secos, los ponen en el medio como una ofrenda. Se agarran de las manos, al fin personas que no preguntan de dónde soy. Tampoco preguntan qué hago, comen las uvas y los frutos secos y se acarician, y poco miran a su hija, amarse entre ellas es también ser madre.

Y yo qué te ofrezco hoy, mi cielo, encontrar un lugar de pertenencia para mí y para ti, me has pasado por el cuerpo, las fronteras están liberadas.

27. DIRÁS

Te desnudas camino al baño, camiseta, pantalón, ropa interior en el pasillo. Miro tu cuerpo desde atrás, corres, brincas en un pie, llegas. Tengo que recordarte que sigues con las medias porque estás a punto de entrar a la tina con ellas, *it's too hot*, mamá, abres el agua fría, yo la cierro. Metes una muñeca, para mí un engendro, sus ojos son hielos, dos cadáveres. Le has cortado el pelo, lo tiene en punta, desmechado, revuelto. Cantas arrurrú mi *guagua* en inglés, la bañas. Encuentras un barquito en el balde de tus juguetes, la subes *row row row your boat,* viaja: lo que es irse.

La muñeca es Hannah o soy yo o es Edna o eres tú, en el mar que es un animal y te engulle, te inserta sal en los poros. Es cierto, no tengo compasión por mi abuela. Estoy paralizada y no logro ser concreta. Pateas el agua como si estuvieras en una piscina. Me salpicas, las gotas son aceite ya pasaron por tu cuerpo.

Abandonarte, evacuación de las olas, de esta marejada que empacha.

Dirás, mamá *didn't love me. Never taught me to tie my shoes.*

Y yo: mi aliento, corriente tibia en tus piernas, agachada, amarrándote los zapatos.

Te pido que no patees que estás mojando el baño. Cuando salgas te secaré el cuerpo y luego pondré la toalla en el piso para secarlo. Así se camina sin levantar los pies, la toalla es un trapo.

Llevarte cargarte *amarcarte* a la tierra de donde sale esa palabra, donde existe otra lengua que nunca fue mía. Algodones de manzanilla en la cartera, secaré tus lágrimas. Tú mirarás por la ventana, podrías preguntar por las nubes, buscar formas, hablar del azul, *blue, sky blue, I feel blue*. Pero nombrarás a tu padre, más sólido que yo, menos inestable.

¿Qué se necesita para cuidar?

Hablas con tu muñeca, la haces nadar, podrías quedarte días remojada, a veces no encuentro la montaña ni la sierra, mucho menos el páramo dentro tuyo. Tus dedos empiezan a arrugarse y yo digo que te voy a lavar el pelo, *not yet*, mamá, *Sage is not ready*. Le diste a la muñeca un nombre impropio para nuestras mujeres, la traducción es salvia, te la enseñaré en las en las faldas del Chimborazo sobre el punto más cercano al sol, la cultivaré para tus dolores, para la panza que asigna el espanto, para tu ombligo que conecta con este desplazamiento. El cordón umbilical que planté en el Central Park con Adrià es una soga que me ata a este lugar que es sólo tuyo, nunca me correspondió.

Dirás, *I miss papa. Vull el pare.*

Y yo: no hablo catalán, no entiendo el anhelo. Querer a un padre, ladrarle a mamá, decirle que me voy con él a pasear con los perros, yo sé que él no tiene un idioma para la infancia, yo sé que no aprendí a hablar, yo sé que va a mear delante mío, que me voy a caer y voy a llorar y me pedirá que me levante. En ladridos será el lenguaje de la infancia, en ladridos fue. Silenciados por la madre.

¿Para qué se paterna?

Te paras y juntas las manos en cuna, esperas que ponga shampú ahí, tú te lo quieres esparcir en la cabeza. La muñeca se ahoga, de los ojos abiertos le salen burbujas. Presiono el envase, cae en tus manos y huele a miel a leche a bebé a niña a talco a parto a madre a cacao a *oma* a barco a cordillera a teta a sudor y manos y piel y cuerpos y bocas a Austria.

Irme a Viena, al departamento de Lina, ella me lo ofrece en sus *emails*. Ella escribe bien y entiende la belleza. Ella no necesita hijos. No regresar hasta que en Viena nazca alguna compunción por esa chica, Hannah, que abandona, que lame botas nazis, que escapa en barco y mira bebés acribillados en el aire: tiro al aire, bebés recién nacidos. Recuerdo las pesadillas de mi abuela: los llantos de los bebés son maullidos de gatos. Tantos gatos se me cruzan en la calle, estoy destinada a la imagen.

Dirás, *when is mamá coming back?*

Y yo: ¿por qué no preguntas en español? En esta conjetura te haré hablar en una de mis lenguas, la que menos lacera: ¿por qué se fue mamá?, no tengo quien me ate los zapatos ni me trence el pelo. Ella me pasaba un hilito por los dientes y eso me hacía cosquillas.

Y yo: no pude contestar cuando me dijo, me recriminó la dentista: *tiene los dientes amarillos, seguramente tomaste algún medicamento que le hizo mal cuando estabas embarazada o le diste antibióticos.* Movió la cabeza en negación, cuando fue mi turno me dijo mala madre y no pude contestar, tenía una máquina metida en la boca.

Te saco el shampú del pelo con la duchita de mano, estás parada, piel de gallina piel de nieve piel que el agua recorre y que en esta tierra tuya nombran *brown*. Antes de que pueda enjabonarte, te sumerges de nuevo, todo tu cuerpo, tu cara, adentro.

Dirás, mamá *took me to birthday parties and stayed there*, se quedaba allí, el papa no se queda. Tráeme las *goggles*, papa, como hacía mamá, así juego a ser buceadora, me meto en la tina, aguanto la respiración.

Y yo: hago como que viene un tiburón y te pellizco una piernita, suave, suavecito y tú te matas de la risa y el baño está empapado, tu pelo también, lo envolveré en la toalla cuando salgas. Pelos finos, pelusas. *I need my mommy to comb my hair,* dirás.

Suena el teléfono en la habitación, es mi madre, es Edna, es el descuido, no contesto. Volver a Quito. ¿Cómo decir cuando una no regresa al lugar de donde se fue? Abrir la boca grande, decir, nombrar. Desquitarme. Descomponer el cordón umbilical, conectarlo con la tierra, que deje de ser tan aire, que no exista la posibilidad de abandonar en esta genealogía. Hablar en inglés, hacerme la gringa, ¿para qué volvió?, desarraigarme de nuevo, entender la extranjería de cuna. Buscarte a ti, patria.

Regreso al baño y haces como si flotaras, tus ojos son líneas, la cara amplia, estás más cerca al sol. Me quedo.

Dirás, mamá *looks so sad,* ¿por qué no te fuiste?, *don't blame me because you didn't have the courage.*

Y yo: me inscribiré a una clase de alemán, Goethe Institute: 30 Irving Place. *Speak to me in English, ma, we are Hispanic not German.*

Mamá va a morir, no tendré a dónde volver. Sólo se puede regresar a la madre. Tachar volver. Robert querrá ser papá, pero ya tienes. Parir de nuevo, dejarse atravesar el cuerpo, imposible. Besos que son hocicadas, no podré. Crecerás siendo gringa, siendo Pipe, siendo Gigi Hadid y Selena Gomez y adolescentes que pegan tiros en los colegios, 30 balazos, ametralladoras, te van a revisar siempre la ropa, que no cargues armas, no verás a tu *oma*, a tu abuela tampoco, la historia se borra, vivirás en esos barrios —*gentrified*— no hay traducción para eso, el burgués gringo. Contarás a tus amigas que ya eres pana del indigente de tu esquina, conseguirás trabajo en un banco, como tu papá, ¿serás como tu papá? Le pediré volver, esa palabra se cuela siempre. Le crecerán cojones, volverá él. ¿Abandonará? Tachar de nuevo volver.

Te abro la toalla, mis pies están mojados, el baño es un barco. Sales quejándote, querías quedarte la vida en el agua. Juegas a ser gata *miau miau*, tengo que perseguirte para poder secar tu cuerpo. *Miau,* vas en cuatro patas. Maullidos: existieron bebés que fueron tirados al aire. Me voy. Cómo se pisa la tierra donde cayeron sin que me desciendan llantos, ríos. Recorrer las huellas de las botas que lamió mi abuela sin gritar o morder, explotar granadas. Pisar la tierra de Hannah para entender el linaje.

¿Cómo se cría sin temor al arrebato?

Estrujo tu pelo, lo quiero secar. Ya tienes sueño, yo abro la manga de tu pijama, tu mano desliza, abro la basta del pantalón, tu pierna desliza. Cuidar. La muñeca se quedó adentro de la tina goteando, la salvia se muere. Tu cara está roja, pijama de unicornio, bostezas, traes tu *shups,* te acuestas en mi cama, hoy dormiremos juntas, yo te tapo y succionas tu dedo, mojas la almohada. Yo seco mis pies, me meto a la cama con ropa, acaricio tu frente los ojos se te cierran, anhelas colibríes. Mis ojos macizos, los siento plegarse.

Cómo contarte esta historia:
Ich bleibe. Iré. Nunca estuve. *I'm staying.* No estoy. Es tan difícil irse. Imposible quedarme. Abandono a mi madre y abuela. No saber quién serás. Nacer del exilio, en el arraigo.

Cargar esto, transmitirlo por los vasos sanguíneos como el oxígeno que nutre al bebé. Alimentar desvíos, sacar la sangre de la tierra, lo que no se planta no se puede cosechar. Célula madre extraída. Buscar a mi tío, explicarle por qué. Ajenar.